JN056424

命のビザで旅した子どもたち

暗やみから光さすほうへ

Children and the Visas for Life

Journeys from Darkness to Light

高橋文

日　本

日本は私たちの放浪の合間のおだやかな舞台となった。

日本の船は、なにごともなく一晩ほどで、私たちをウラジオストクから敦賀港まで運んでくれた。それは単に、ある国からとなりの国へ移ったということではない。季節の変化、別の世界へ移動のような。そう、全身こおるような寒い冬から、身も心もとろけるような暖かな春になったような感じ。

とつぜん、私たちの目のまえに満開の桜や、花がらの着物を着たかわいい人形のような女の子たちがあらわれた。まさに、暗やみから光さすほうへの脱出、、、

マルセル・ベイランド著『三輪車の少年』66 ページより

もくじ

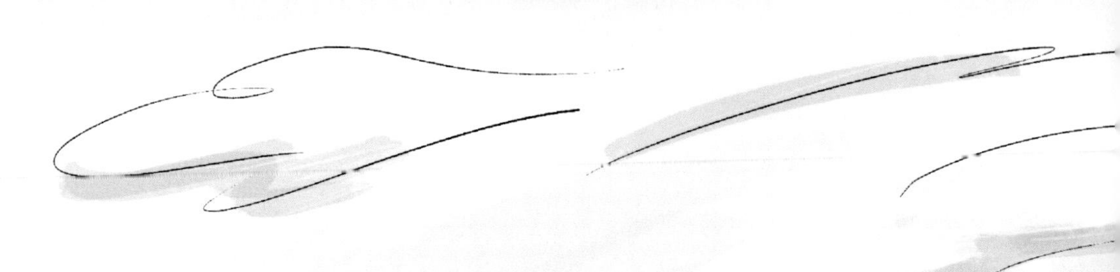

はじめに

命のビザで旅した子どもたちを忘れないで

「スギハラは命の恩人」。こう話す人たちが、私の住む国カナダにいます。

「スギハラ」とは、第二次世界大戦中、ヨーロッパで日本の外交官として働いた杉原千畝のこと。

杉原について、あなたは本で読んだり、テレビや展示会で見たり聞いたりしたかもしれませんね。

1940年夏、ヨーロッパ東北部の国リトアニアのカウナスという町で、杉原は多くのユダヤ人にたのまれ、日本を通るために必要なビザ(入国を認める証し)を書いてわたした。ユダヤ人たちは、ドイツやソ連からの迫害をおそれて避難しようとしていました。それには日本通過ビザが必要だったのです。

通過ビザをもらうためには、いき先とする国からの入国許可証や、そこへつくまでの旅費をもっていることがたいせつな条件です。ところが、ユダヤ人の中には、避難中なので条件をそろえることのできない人がたくさんいます。それを杉原は知っていました。しかし、こまっている人たちを助けようと、条件がそろっていなくともビザを書いてあげたのです。

このユダヤ人の中には、おとなだけではなく、子どももいました。

戦争が始まってドイツの軍隊がちかづいてきたので、家族や親戚といっしょに住みなれた町から出て、雪がつもる寒い山の中を歩いたり、杉原からビザをもらったあとは、日本へ向かうため、広いソ連を10日以上も汽車に乗ってよこぎったり。日本海をわたるとき

には、荒波でゆれる船の底でじっとしていたりと。子どもどころか、おとなでも忘れられないほど長くてこわい思いをする旅をしなければなりませんでした。

うれしいことに、この子どもたちも家族も日本ではよい思い出をつくりました。

でも杉原からもらったのは、日本を通るためだけのビザでしたね。そこでユダヤ人たちは、おちついて住むための場所にいこうと、しばらくすると日本から去っていきました。

船に乗ってついた国にカナダやアメリカやオーストラリアがあります。子どもたちは、やっと安心して遊んだり勉強したりして大きくなりました。今ではその子どもたちの子や孫が、世界中に住んでいます。杉原が「命の恩人」、書いたのが「命のビザ」とよばれる理由です。

日本通過ビザを、リトアニアから日本へいくときに通るソ連で、べつの日本人外交官から書いてもらったユダヤ人もいました。そのビザのおかげで避難の旅をつづけることができ、命がすくわれました。

これは第二次世界大戦中、ほんとうにあった話。何十年もまえのことです。だからと言って、あのときの子どもたちのことを忘れないでほしいのです。なぜなら、同じような危険な旅を、おとなも子どもも、くりかえしてはいけない。ユダヤ人たちを助け不安をやわらげてくれた人たちの愛・勇気・親切について、これからも話してほしい。そう思うから私はこの本を書き、あなたに読んでほしいのです。

7人の子どもたちの旅

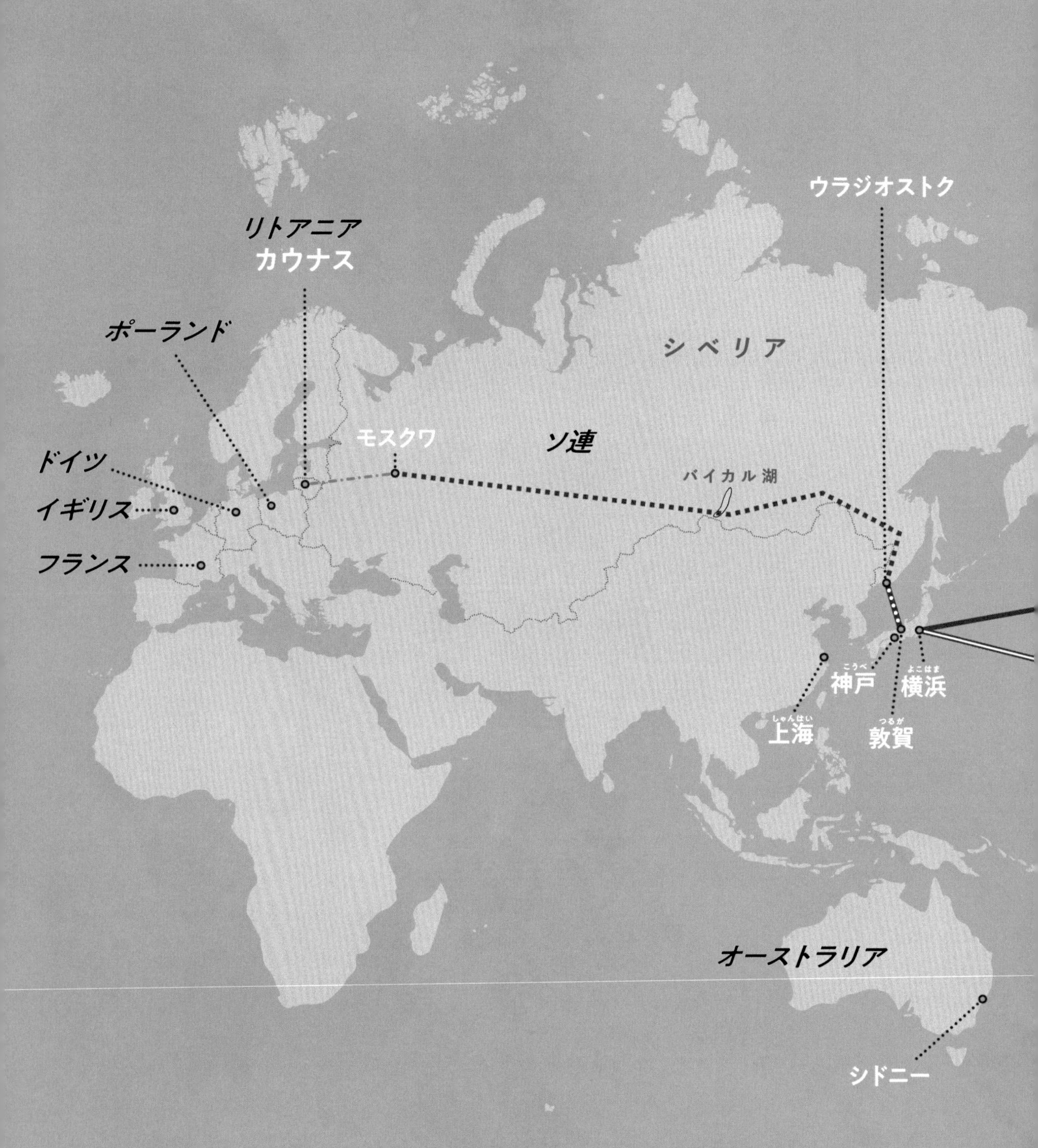

ウラジオストク
リトアニア
カウナス
ポーランド
シベリア
ドイツ
モスクワ
ソ連
イギリス
バイカル湖
フランス
神戸
横浜
上海
敦賀
オーストラリア
シドニー

バンクーバー

カナダ

モントリオール

大西洋

シアトル

アメリカ

ニューヨーク

サンフランシスコ

キュラソー島

ハワイ

太平洋

シベリア鉄道

天草丸（あまくさまる）

氷川丸（ひかわまる）・日枝丸（ひえまる）・平安丸（へいあんまる）

浅間丸（あさままる）

1. 命のビザで旅する7人の子どもたち

杉原千畝がリトニアのカウナスで書いた日本通過ビザについてまとめた表が、日本の外務省外交史料館に保存されています。それを見ると、番号は2,139番までですが、実際には2,140人の名前がのっています。

杉原からビザをもらったのは10の国の人たちです。ポーランドが1,993人と一番多く、次はリトアニアの53人です。

この本に登場する7人の子どもたちは、ポーランドとリトアニアのユダヤ人の家庭で生まれました。第二次世界大戦が始まった1939年9月、2歳から16歳だった男の子3人と女の子3人。もう1人、まだ生まれていない男の子もいました。

ユダヤ人

ユダヤ人とは、ユダヤ人の母親から生まれた人、ユダヤ教を信じる人、と言われています。

テッド・カリスキ

1924年、ポーランド生まれ

首都ワルシャワで、裁判所のちかくに住んでいました。お父さんが裁判官だったからです。家のまえにあった広い公園で、よく弟といっしょに遊びました。

お父さんが忘れ物をしたとき、裁判所のそばにあるレストランまでもっていったことがあります。ごほうびにと、お父さんはテッドにも昼ごはんをごちそうしてくれました。

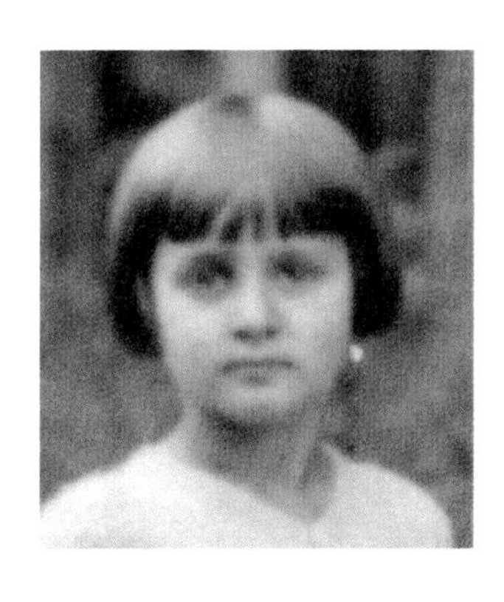

マルセル・ベイランド

1927年、ポーランド生まれ

ポーランドで2番目に大きかった町ウッチで、両親と2人のお姉さんと住んでいました。家には、お母さんがあつめているいろいろなサボテンがおいてありました。

マルセルは字をじょうずに書けるようにと、いっしょうけんめい練習をしました。本を読むこともすきで、とくにポーランドの歴史に出てくる英雄の話には夢中になりました。

ハリナ・ヨエルソン

1930年、ポーランド生まれ

ミエジェシンという村で、両親と親戚3人といっしょに住んでいました。親戚一家には、ハリナと同じとしのイロンカという女の子がいました。

ハリナとイロンカは、かわいい人形をもっていて、ブラウス・スカート・コートを着せかえて遊びました。近所の子どもたちと、丘や林にハイキングにいくこともありました。

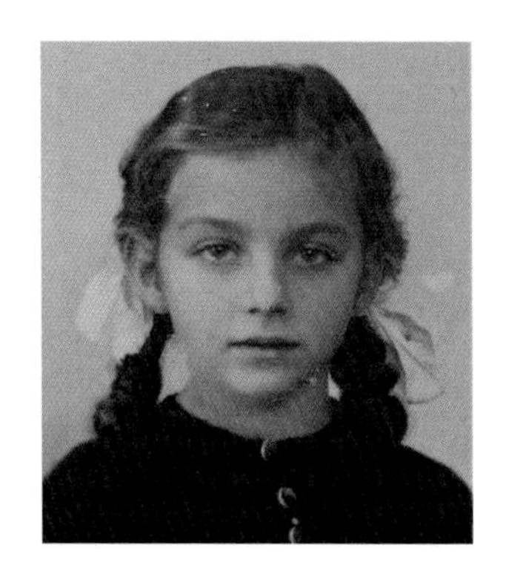

アン・ネイベルト

1933年、ポーランド生まれ

ウッチで、両親・お姉さん・お兄さんと住んでいました。アンには、エルサという名前の子守がいて、毎朝幼稚園につれていってくれました。午後は家のちかくにある公園で遊んでくれました。

夏と冬には、家族でポーランド南部の山にある家ですごしました。お母さんはスポーツが得意で、子どもたちにスキーやテニスを教えてくれました。山登りもしました。

ノーミ・カプラン

1933年、リトアニア生まれ

バルト海が目のまえに見えるメーメルという町で、両親とお兄さんと、三角の屋根の塔がある家に住んでいました。安全な町だったので、家のちかくは子どもだけで歩くことができました。

お兄さんや近所の子どもたちと、逆立ちをしたり、塀の上を歩いたりして遊びました。みんなで楽器をひいて歌うことも楽しかったです。

ナタン・ザルコウ

1938年、リトアニア生まれ

　メーメルで生まれました。お父さんは食品を売る仕事をしていました。とくにチョコレートをつくって売ることに成功して、外国を旅行することもありました。

　お父さんは、メーメルの青い海でおよぐのがすきだと言っていました。お母さんは、ピアノをひくのがじょうずで、ナタンにも音楽をすきになってほしいと思っていました。

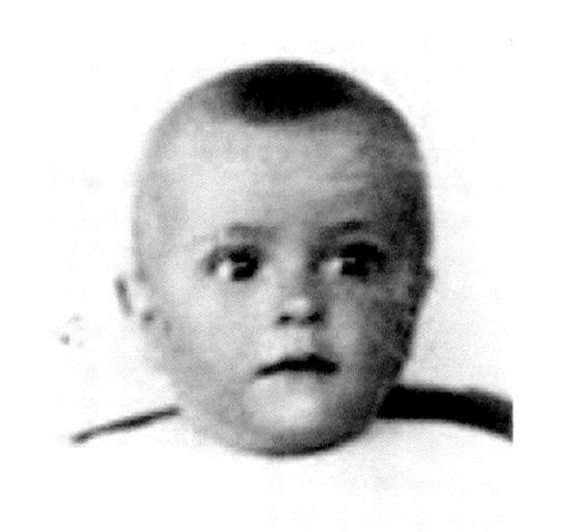

ゾリア・レルメル

1939年、ポーランド生まれ

　お父さんとお母さんはウッチに住んでいました。戦争が始まったとき、ゾリアはまだ生まれていませんでした。

　お父さんは、お母さんが安全な場所で赤ちゃんを産めるようにと、ポーランドの南東部へいっしょに避難することにしました。

ワルシャワを行進するドイツ軍　1939年10月

2. 戦争の始まりと避難

ドイツ軍、ポーランドを爆撃

1939年9月1日、ドイツがとなりの国ポーランドを爆撃しました。ドイツは、領土[*1]をもっと広くしようとしていたからです。それを知ったイギリスとフランスは、ポーランドを助けるため、ドイツと戦うことをきめました。その結果、世界のほかの国もまきこんで、大きな戦争へと発展していきます。

ドイツは、国内や占領[*2]した国で、ユダヤ人を差別し迫害していました。戦争が始まりドイツ軍が攻めてきたので、ポーランドに住むユダヤ人たちはとても不安になります。

爆撃された建物を見あげるワルシャワ市民　1939年

アンの話

戦争が始まることを予想して、8月30日、家族で汽車に乗ってポーランド南東部の親戚の家に避難することになった。汽車はにげようとする人でこみあって、すわる席もない。

9月1日、戦争が始まった。

親戚の家についてみるともう爆撃されていて、だれもいなかった。親戚はほかの場所にいた。そこも避難してきた人たちでいっぱいだ。私の家族はべつの場所をさがすことになった。

ゾリアの両親の話

戦争が始まる1日まえ、ポーランド南東部へ向かう汽車に乗った。

9月1日、汽車を乗りかえる駅のちかくまでドイツ軍の爆撃機がたくさんとんできて、爆弾をおとしていった。

お母さんはまだゾリアを産んでいなかったので、大きなおなかだったけれど、お父さんとあちこちにげまわった。

テッドの話

9月1日、ドイツ軍からの爆撃のあと、ポーランド政府はラジオで、「とくべつな任務をもつ人いがいはワルシャワからにげるように」と警告した。両親はいそいで荷物をまとめた。

親戚のヤネックが運転する車で出発。郊外への道は、にげようとする人が川の流れのようになってつづいている。トラックの荷台にとび乗った人が、つんであったキャベツをみぞに投げ、あいた場所にすわるのにはおどろいた。

そのうち車はポーランド軍がつかうことになったので、ヤネックはワルシャワに戻った。両親・私・弟はスーツケースをさげて歩くことになった。

爆撃(ばくげき)で建物がくずれたワルシャワを歩く市民　1939年10月

爆撃(ばくげき)され、こわれた家でしゃがむ男の子　1939年9月

マルセルの話

9月3日、ドイツの爆撃機がウッチの空にとんできた。「ブーン、ブーン」とうなるような音をたてながら爆弾をおとす。

新聞社で働いていた姉のハラが、あわてて家に帰ってきた。最新のニュースで、ドイツ軍が町にやってきそうなことを読んだからだ。家族ですぐに避難することがきまった。両親・ハラ・ハラの夫のボレク・もう1人の姉マリアと私の合計6人だ。

ボレクが運転する車に、ぎゅうぎゅうづめになって乗りこみ、出発した。とちゅうから、ハラの新聞社の輸送用トラックに乗りかえた。トラックはドイツ軍からにげるように東へ東へと走ったが、そのうちに故障して動かなくなった。私たちは森の中を歩くことになった。

ある日の夜明けごろ、ブク川の岸についた。ドイツ兵からにげるためには、どうしても目のまえの橋をわたって向こう岸にいかねばならない。ところが、ドイツ軍の進行をとめるため、ポーランド軍が橋を爆破しようとしている。

「あと5分で爆破する。わたるな」と私たちは命令された。このとき、おどろいたことに、ハラが指揮官[*3]のところへ走っていき、断固としてこう言った。

「もし私たちに橋をわたらせてくれないのなら、私は川にとびこむわ。おぼれて流されたら、そのことであなたは一生苦しむことになるわ」

指揮官は一瞬迷った。だがすぐに、「わたれ」と私たちに手をふって合図した。私たちはいそいで橋をわたった。向こう岸についた直後、橋は爆破され、大きな音をたててくずれた。

ハリナの話

9月6日、ポーランド政府からの命令で、父とおじは、ポーランド軍に加わるため出発した。私の家では、家事の手伝いをしてくれていた人たちが、戦争が始まったあと家族のところへ帰ったので、残ったのは母・おば・イロンカ・私の4人だけになった。

ドイツ軍が家のちかくまできて野営[*4]を始めた。どこの家でも、ラジオをとりあげられた。ドイツ兵がつかうための台所用品・シーツ・洗濯板などを出して協力するようにと告げられた。ことわることはできない。私の家では包丁を出すようにと言われた。ドイツ兵が包丁をとりにきたとき、なにか悪いことが起こるのではないかとこわかった。幸い、なにも起きなかった。ドイツ兵は普段と同じような生活がしたいだけなのだろうと、おとなたちは話していた。

ドイツ兵は各家をまわり、武器をかくしていないかとさがした。私の家にもきて、食器棚やたんすはもちろん、家の中のあちらこちらをさがしまわった。若い兵隊たちが、イロンカと私の人形を見つけて投げあったので、人形がこわれるのではないかととても心配だった。

イロンカ(左)とハリナ　1936年、2人が6歳のとき

ユダヤ人の身分証明書をしらべるドイツ兵　1940年

二つの国境越え

ドイツ軍はポーランドの西側から攻めてくるので、子どもたちの家族は、東側にある中立国*5リトアニアにいくことを考えました。ビリニュスという町があるからです。そのあたりは戦争が始まるまえからポーランドが占領していました。ユダヤ人もたくさん住んでいます。となりの国なので、戦争が終わればポーランドに帰るのにも便利です。

ところが、ドイツと不可侵条約*6を結んでいたソ連（ソビエト社会主義共和国連邦）が、ポーランドの東側から攻めてきました。「不可侵」とは、攻撃しないということです。この条約があれば、ドイツもソ連もおたがいに攻撃することがないので、安心してほかの国に攻めていくことができるわけです。

じつはドイツとソ連は、ヨーロッパにあるいくつもの国をわけあって、領土にすることをひみつで話しあっていました。そのとおり、戦争が始まって1カ月もしないうちに、ポーランドの西側半分はドイツが、東側半分はソ連が占領しました。ポーランドの中にドイツとソ連の国境ができたことになります。

それだけではありません。もともとポーランドとリトアニアの国境がありました。ところが、ポーランドの東半分はソ連に占領されたので、国境はソ連とリトアニアの境となりました。

ユダヤ人をつかまえるドイツ兵　1939年

こうした結果、子どもたちと家族がポーランドからリトアニアのビリニュスにいくには、①ドイツ-ソ連の国境、②ソ連-リトアニアの国境、これら二つを越えなければなりません。それぞれの国境には、ドイツ・ソ連・リトアニアの警備兵*7が立っています。警備兵たちは、国境にきた人たちのパスポート（外国へいくときの身分証明書）やビザをしらべ、なぜその国に入りたいのかや、どこにいくのかを聞いて、問題がなければ通ることを許可します。

ところが、ユダヤ人たちは戦争が始まっていそいで避難したり、あとで自宅に戻ると思っていたりしたので、パスポートを家においてきた人もいました。また、そのころは外国へ旅行にいく人は現在のように多くはなかったので、パスポートをもっていない人はめずらしくありませんでした。それに、入国のための書類を準備する時間もなかったのです。

ユダヤ人であればドイツ兵につかまれば危険です。また、ソ連兵もリトアニア兵も乱暴でこわいといううわさがありました。そこでユダヤ人たちは、警備兵に見つからないように、夜、暗闇の中をこっそりと国境を越えることにします。その年の冬はとくに寒く、あたりには雪がつもっていました。

ハリナの話

戦争が始まったあと、ポーランド軍に加わるため出発した父とおじは、結局、リトアニアのビリニュスにいった。ドイツ軍があまりに強くて、ポーランド軍は戦えなくなったことを知ったからだ。そして父とおじは、ポーランドに残っている4人の家族を、ビリニュスによびよせることにした。道案内として鉄道にそった地域のことをよく知っている男の人を2人やとった。

母・おば・イロンカ・私は、道案内人につれられ、まず、ドイツ占領側とソ連占領側の境にある小さな町マルキニアにいくため、汽車で出発した。ほかにも多くのユダヤ人が乗っていたが、みんな同じように迷うことがあった。

それは、汽車がマルキニアの駅に到着するまでずっと乗っているか、それとも駅に到着するまえに、動いている列車からとび降りるか、どちらかを選ぶことだった。駅にはドイツ兵がたくさんまっていて、ついた乗客の中からユダヤ人をひっぱり出し、けったりなぐったりしたあと監禁*8するということだ。それならば、動いている列車からとび降りるしかない。でも、それはできない。私たちのうち2人は子どもで、私の母は病気だ。

ところが、マルキニアの駅につく少しまえで汽車がとまった。なぜとまったのかは、わからない。信号まちか、車掌が親切で私たちを助けようとしたのか。それともほかのグループのだれかが車掌にお金でもやっ

たのだろうか。とにかく汽車がとまると、道案内人はすばやく荷物をあつめ、私たちを大いそぎで汽車から降ろした。

そこは森の中だった。私たちより人数の多いグループも降りた。その人たちは右へいく。ところが私たちの道案内人は左へいく。不安だ。大きいグループであれば、どうすればよいかをよく知っているのではないだろうか。しかし、あとで聞いたが、右に進んだ大きいグループは、その先にある村へまっすぐに入っていき、まちかまえていたドイツ兵につかまったということだ。

左にいった私たちは森の奥へと進んだ。金網のフェンスが張りめぐらされた場所までくると、道案内人は私たちをそこにすわらせ、自分たちは村のようすを見てくると言い、去っていった。

すわった場所のよこはドイツ軍の基地だった。内側では、大きなライトが夜空をてらしている。敵機を発見するためだろう。あたりはまっ暗なうえ、12月の末なので寒くてしょうがない。

かなりの時間がたった。道案内人たちは、ドイツ兵が去って村が安全になったことを確認すると戻ってきた。そして私たちを農家へとつれていった。

夜、ふたたび森の中を歩いた。とても寒い。ドイツ占領側からソ連占領側へ密入国*9するには、警備兵の交代時間とかさなるように計画されていた。私たちは、無事、ソ連側に入った。

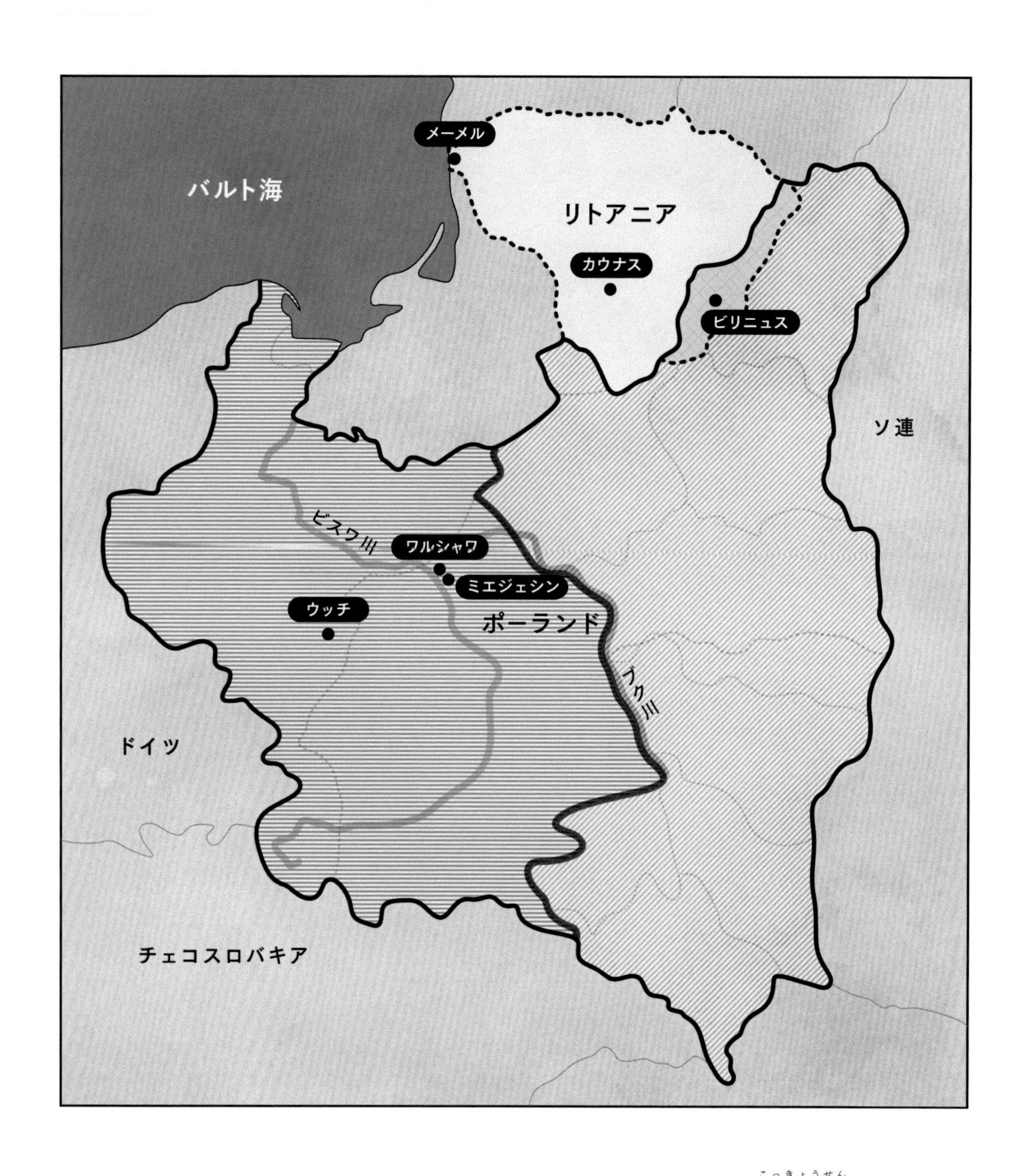

第二次世界大戦まえのポーランド・リトニア国境線

ポーランド国境

リトアニア国境

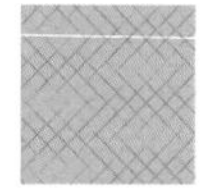

リトアニア領土だったが、ポーランドが占領していた地域

1939年9月、ドイツとソ連によるポーランド占領

ドイツ・ソ連占領の境界線

ドイツ占領側

ソ連占領側

ゾリアの両親の話

ドイツ軍からの爆撃をさけるようにポーランド国内を移動していった。そのあいだにお母さんはゾリアを産んだ。そこはソ連軍が占領している町だった。危険を感じたゾリアの両親は、となりの国リトアニアのビリニュスにいくことにした。

ユダヤ人の家族がいっしょにいるとあぶない。そこで、お父さんは森の中を歩き、お母さんはゾリアをだいてバスでいくことになった。

お母さんとゾリアが乗ったバスは、とちゅうでソ連の兵隊に止められた。兵隊が乗客に、「このあたりに住む人いがいはバスから降りるように」と命令する。お母さんは、「降りたらどこかにつれていかれ、バスに戻ることはできない」と思った。その瞬間、ゾリアが泣きだした。お母さんがこまっていると、となりにすわっていた男の人が小さい声でお母さんにこう言った。「降りずに、ここにすわっていなさい」。言われたとおりに、お母さんはそのまますわっていた。

こうして用心しながら旅をつづけ、お母さんとゾリアはビリニュスについた。お父さんも歩いてビリニュスにきた。

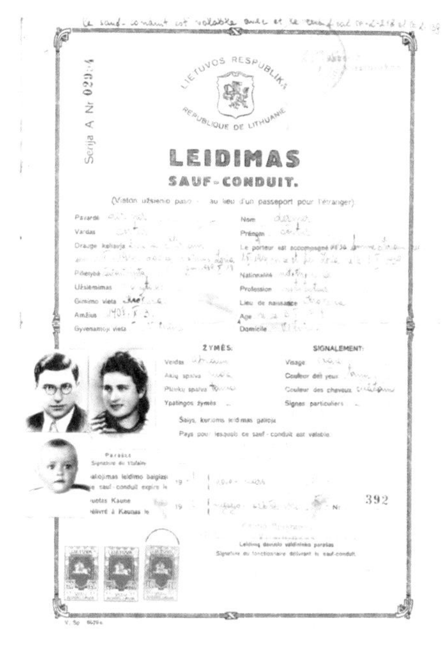

LIETUVOS RESPUBLIKA
REPUBLIQUE DE LITHUANIE
Serija A Nr 02934

LEIDIMAS
SAUF-CONDUIT.

(Vietoj užsienio paso — au lieu d'un passeport pour l'étranger)

Pavardė — Nom
Vardas — Prénom
Drauge keliauja — Le porteur est accompagné
Pilietybė — Nationalité
Užsiėmimas — Profession
Gimimo vieta — Lieu de naissance
Amžius — Age
Gyvenamoji vieta — Domicile

ŽYMĖS: — SIGNALEMENT:
Veidas — Visage
Akių spalva — Couleur des yeux
Plaukų spalva — Couleur des cheveux
Ypatingos žymės — Signes particuliers

Šalys, kurioms leidimas galioja
Pays pour lesquels ce sauf-conduit est valable

Parašas
Signature du titulaire

aliojimas leidimo baigiasi 19
e sauf-conduit expire le 19

uotas Kaune 19
élivré à Kaunas le 19 Nr 392

Leidimą davusio valdininko parašas
Signature du fonctionnaire délivrant le sauf-conduit

ゾリアと両親の写真がはってある書類

テッドの話

ソ連占領側とリトアニアとの国境には雪原が広がっていた。かくれるような場所はどこにもない。そこを夜、警備兵の交代時間にあわせてよこぎることになった。道案内人が、雪と同じ色になるようにと、白いレインコートを用意してくれていた。家族全員それを着る。

とても寒かった。こごえるほどの寒さとおそろしさにふるえながら、みんな黙って、いそいで歩いた。

国境を越えてリトアニアに入ると、道案内人は農夫の家につれていってくれた。そこからビリニュスへ向かった。

アンの話

私の家族5人と親戚4人は、町から町へと避難していった。両親がそばにいてくれたので不安はなかった。ただ、いつも遊んでくれた子守のエルサがいないことはさびしかった。

ある日、私たちはほかの人たちといっしょにソ連占領側からリトアニアへ密入国するため、馬ソリに乗って出発した。ところが、馬のいななき（鳴き声）を聞いたソ連警備兵につかまった。警備兵は私たち全員をソ連のシベリア地方の収容所*10につれていくと言う。

このとき、奇跡のようなことが起こった。親戚の1歳の女の子が病気で、ソ連の警備隊長がこの子をかわいそうに思ってくれた。そして、親戚と私の家族をゆるしてくれた。ほかの人たちはシベリアへつれていかれた。

こうして私たちは助かった。でも、もときた方向へ追いかえされ、リトアニアに入ることは失敗した。

次の年の3月、両親たちはもう一度、密入国の計画をたて、こんどは歩いていくことになった。そのため道案内がやとわれた。

小さい私には雪がつもった道は歩けないので、道案内人が肩に乗せて歩いてくれた。ソ連の警備兵が雪の上の足あとを発見して、追いかけてこないように、東西南北にいったりきたりして進んだ。

とつぜん道案内人が私を雪の中になげ、いなくなった。なにが起こったのかわからない。私はじっとしていた。しばらくすると道案内人は戻ってきて、雪のくぼみにいた私をだきあげてくれた。

道案内人がなにか物音を聞いたと思ったので、私を雪の中にかくしたのだった。家族も親戚も、みんなかくれていた。結局、あやしいことはなにもなかった。

こうして時間はかかったが、密入国はやっと成功。私たちはリトアニアのビリニュスについた。

ドイツ領に戻ったメーメル

リトアニアの海のそばのメーメルに住んでいたノーミとナタンの家族は、どうしていたのでしょうか。

メーメルという町の名はドイツ語。ドイツの領土だった時期もあり、ドイツ人もたくさん住んでいました。

1930年代後半、ドイツが国内や周辺の国でユダヤ人をますます迫害していることを聞き、メーメルのユダヤ人たちは危険を感じます。ノーミとナタンの両親は、町を出ることにしました。まもなくメーメルは予想どおりドイツ領になりました。

ノーミの話

車の窓から外を見ていると、通りはドイツの旗でかざられていた。

シャウレイの町につくと、私たちはしばらくホテルに滞在した。

私は幼稚園にかよった。少し大きくなったので、1人で歩いていくことができる。ほかの子どもたちといっしょに、トライアングルや木琴をつかう音楽の時間がとても楽しかった。

幼稚園からホテルに戻ると、両親に、その日なにをして遊んだかや、道を歩いている人の様子について話した。

メーメルでは両親はいそがしくて、私は子守にあずけられることもあった。ここでは家族がいつもいっしょだったので、うれしかった。

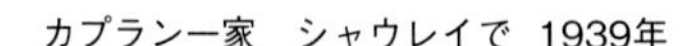
カプラン一家　シャウレイで 1939年

(左から)お兄さん、お父さん、ノーミ

(左から)お母さん、お兄さん、ノーミ

ナタンの話

メーメルにいては危険だと思った両親は、私をつれて町を出た。リトアニア国内の安全な場所をさがして移動していった。

〔言葉の説明〕

*1 領土：国の土地、その上の空や、まわりの海。

*2 占領：武力でほかの国の領土をとること。

*3 指揮官：軍隊で、部隊をまとめる役目の人。

*4 野営：戦場で、軍隊がテントをはって食事をして寝ること。

*5 中立国：どこの国にも味方せず、敵にもならないことをきめている国。

*6 条約：複数の国で賛成しあった意見を文章にしたもの。

*7 警備兵：いつもとはちがうことが起こっていないかを見てまわったり、そういうことが起きないよう防ぐことを任務とする兵士。

*8 監禁：人をある場所にとじこめて行動できないようにすること。

*9 密入国：ひみつでほかの国へ入ること。

*10 収容所：敵の兵士や、敵だと思う人をつかまえて入れておく場所。

3. リトアニアでの生活とビザの話

ビリニュスの学校

ポーランドからリトアニアのビリニュスについた子どもたちと家族は、ここで避難（ひなん）生活を始めます。子どもたちは学校にかよいました。

1940年6月、ソ連軍がリトアニアに入ってきました。8月、ソ連はリトアニアを領土にします。

ビリニュスに入ってきたソ連軍　1940年６月15日

テッドの話

ビリニュスで私の家族は、ある家の中の2部屋に住んだ。その家には、ほかにもポーランドからの避難民がいた。

1940年の春と夏、私と弟はビリニュスの学校にかよった。

ハリナの話

1940年1月、両親たちは、イロンカと私がかよう学校のことを話しあった。その結果、ビリニュスでは一番よいという評判のユダヤ系の学校にいくことになった。

その学校の授業は、ユダヤ人が話す言葉イディッシュ語で行われていた。私たちは4年生のクラスに入ったが、イディッシュ語はぜんぜん知らない。授業中、どちらか1人があてられると2人で立って、ポーランド語で「イディッシュ語はわかりません」と声をそろえて答えた。

ポーランド語を話す生徒もいるので、いっしょに遊ぶのにこまることはない。勉強を助けてくれる女子生徒がいて、その生徒の家で宿題をすることもあった。

6月、ソ連軍がリトアニアに入ってきた。ある日、イロンカと私が友だちと遊んだあと家に帰るとき、ソ連兵がぎっしりと乗ったトラックがビリニュスの通りを何台も走るのを見た。兵隊たちはソ連の民謡[*1]を歌いながら私たちに手をふる。

家に帰ると、両親たちにソ連兵を見たことを話した。みんなもう知っていて、ゆううつそうだ。

どこの家でも、食料や生活用品の確保が始まった。国が占領されれば、いろいろなものが不足するからだ。店ではすぐに品物が売り切れた。

学校でも変化が起きた。8月、リトアニアがソ連の領土になると、ロシア語も学ぶことになった。ロシア語のつづり方を、イロンカも私もまったく知らない。イディッシュ語の次はロシア語。次から次へとたいへんだ。でも、私たちはロシア語をそれほど苦労せずに学んでいった。

マルセルの話

戦争が1939年9月に始まり、避難のため、住んでいた町を出たので、私はその月に予定されていた中学校への入学ができなくなった。

小学生までは灰色の半ズボン。中学生からは紺色の長ズボンをはく。私は紺色のズボンをはいて通学できなくなり、それがとても残念だった。そんな私の気持ちを両親はわかっていたのだろう。にげているとちゅうの町で、あこがれの紺色長ズボンをどこからか買ってきて、私にプレゼントしてくれた。

リトアニアのビリニュスは、きれいな宝石のような町だ。曲がりくねったせまい道や、いくつもの美しい教会がある。ゴシック建築の教会からのびる何本もの細長い塔は、祈りの言葉がまるでゆれる炎のようになって空に向かうみたいだ。そばを通るたび、目を見張り息をのんだ。

1940年、ビリニュスで生活しているあいだに、私は学校を4回かわった。

1回目はユダヤ系の学校。ここではユダヤ人がつかう言葉イディッシュ語で教えていた。私はイディッシュ語を知らなかったので、転校することになった。

2回目はポーランド語で教える学校。建物の2階にあり、ひみつで授業が行われていた。壁には、1918年、ポーランドが独立したときの国家元首*2ユゼフ・ピウスツキの大きな写真の額がかざられてある。リトアニア人の役人が入ってくれば、額をうらがえしてリトアニア大統領の写真になるようにつくられてあった。この学校は、ある日いってみると閉まっていた。理由はわからない。

ビリニュス 聖アンナ教会

3回目はリトアニアの公立学校。私は家庭教師から3週間、リトアニア語を学んだおかげで入学がゆるされた。ところが6月にソ連軍がリトアニアに入ってきて、8月にはリトアニアはソ連の領土になった。同時にリトアニアの学校はソ連のものとなり、私のかよう学校もソ連の学校になった。これが4回目だ。授業はポーランド語で行われたので安心した。

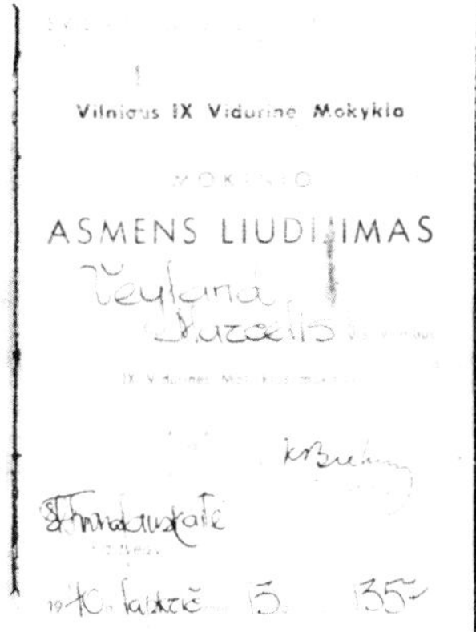

Vilnious IX Vidurine Mokykla

ASMENS LIUDIJIMAS

マルセルの学生証

カウナスに入ってきたソ連の戦車　1940年6月15日

日本を通るためのビザ

ソ連軍がリトアニアに入ってきてから、ユダヤ避難民たちの不安は増します。ソ連もユダヤ人を迫害していたからです。そこでユダヤ人たちは、リトアニアから出て、ほかの国へいこうと考えました。そのためには、いき先となる国からの入国許可証、つまりビザが必要です。

ユダヤ人たちはビザをもらおうと、リトアニア中央部のカウナスという町にあったいろいろな国の大使館*3や領事館*4にいきました。ところが、ソ連からの命令で、仕事を止めたり、もう閉館してしまったところもあり、ビザはなかなか手に入りません。

ヤン・ツバルテンダイク

そのとき、まだ開いていたオランダ領事館で、ヤン・ツバルテンダイク領事が、南アメリカ大陸の北東部にあるオランダ領キュラソーへは、ビザがなくても入国できるという証明書を書いてくれました。キュラソーはカリブ海に浮かぶ島。そこまでどういけばよいでしょうか。

リトアニアから西へ向かっていくことは考えられません。なぜなら、ドイツや、ドイツが占領したり進軍している国や地域があります。そこをユダヤ人が通っていくことはとても危険だからです。そうなると、東へ向かい、モスクワからシベリア鉄道に乗ってソ連国内を横断。東のはしウラジオストクまでいき、そこから船に乗って日本へわたり、日本を通っていくしかありません。そのためには日本のビザが必要です。ユダヤ人たちはさっそく日本領事館へいき、領事に会い、通過ビザを出してもらいました。

「日本領事館でビザがもらえる」。こういううわさが、あっというまにユダヤ避難民のあいだで広まります。数日後、オランダ領事館も閉まりました。キュラソー入国証明書をもらうことができなくなり、いき先国がなくなったことになります。それでも避難民たちは通過ビザをもらおうと、日本領事館にあつまりました。その数は増えるばかりです。

日本の外務省では、通過ビザを出すためには、いき先国からの入国許可証と、そこへつくまでの旅費があることを重要な条件にしていました。しかしユダヤ人の中には、条件のそろっていない人がたくさんいます。

カウナスの日本領事館にあつまったユダヤ避難民

「どうしても日本のビザが必要」
「いくところがきまっていないのに、通過ビザをもらえるだろうか」
心配です。でも、日本の領事は長い列に並ぶユダヤ避難民たちに休みなくビザを書いてくれました。
このときユダヤ人たちは、この領事の名前を知りませんでした。ビザに書かれた名前「杉原千畝」は漢字で、それを読めなかったからです。
一方、杉原は領事館で起こっていることを、外務省に電報で何度か報告して、ビザを出してもよいかどうかを聞いています。すると外務省からは、「ビザを出すのは、いき先国からの入国許可証をもっている人だけにしなさい」、「旅費をもっていない人にはビザは出さないようにしなさい」と電報がかえってきます。そう命令されても杉原は、こまっているユダヤ避難民たちを助けたいと思い、必要な条件がそろっていなくともビザを出しました。これをユダヤ人たちが知ったのは、戦後、ずっとあとになってからです。

杉原千畝

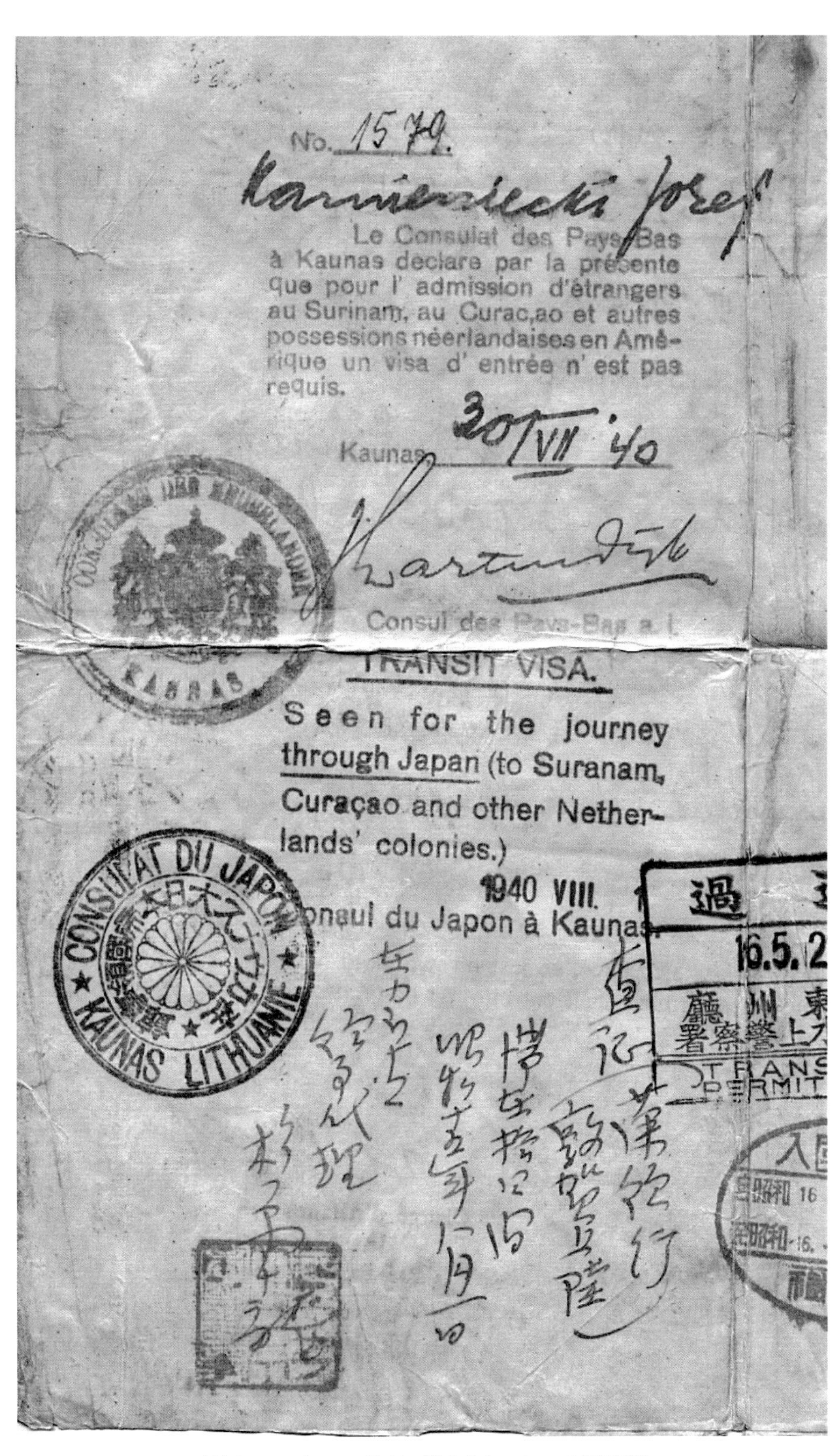
No. 1579.

Kamieniecki Josef

Le Consulat des Pays Bas à Kaunas declare par la présente que pour l' admission d'étrangers au Surinam, au Curac,ao et autres possessions néerlandaises en Amérique un visa d' entrée n' est pas requis.

Kaunas 30/VII '40

Consul des Pays-Bas a. i.

TRANSIT VISA.

Seen for the journey through Japan (to Suranam, Curaçao and other Netherlands' colonies.)

1940 VIII.

Consul du Japon à Kaunas.

（上）ヤン・ツバルテンダイクが出したキュラソー入国証明書
（下）杉原千畝が出した日本通過ビザ

テッドの話

夏、おとなたちは、どこかの大使館か領事館が出すキュラソー島のビザと、日本のビザのうわさをしていた。私の両親は、日本を通って、キュラソー島ではなく、アメリカにいくことを話しあっていた。

父は、日本とアメリカのビザをもらおうと、2回カウナスへいった。ある日、日本のビザをもらってきた。

ハリナの話

父はカウナスへ何回かいった。アメリカのビザと、ほかにも必要な書類をそろえるためだ。私の両親も入れて100人がアメリカのビザをもらったと聞いた。

大西洋にはドイツ軍の潜水艦がひそんでいるので、私の家族は日本から太平洋を船でわたって、アメリカの西海岸に到着することを計画した。

学校では生徒たちが私にわかれの記念アルバムをプレゼントしてくれた。生徒の名前が書いてあり、写真もはってある。最初のページにこう書いてあった。

「学びましょう。くじけないようにしましょう。いつもよい行いをしましょう」

1941年、3月17日の日付だった。

ハリナがもらった記念アルバム

アンの話

父には、カナダのモントリオールに友人がいた。その人が、私の家族のカナダ入国を準備してくれた。

カナダへいくため、とちゅうで通る日本のビザを、父がカウナスの日本領事館でもらってきた。

ノーミの話

8月29日、家族で日本領事館にいった。だが領事館は閉まっている。ちょうど領事一家が車で領事館を去るところだった。

領事は車の窓から父の書類にビザを書いてくれた。それには兄と私の名前ものっている。しかし母は、書類をもっていなかったので、ビザを書いてもらうことができなかった。

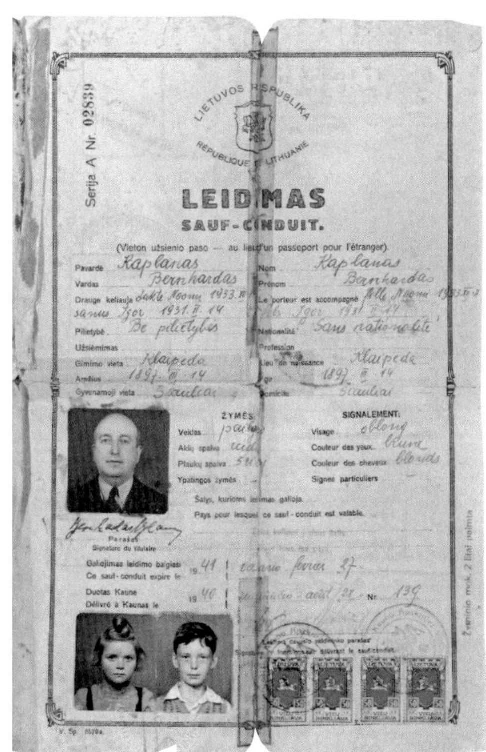
LIETUVOS RESPUBLIKA
REPUBLIQUE DE LITHUANIE
Serija A Nr. 02839
LEIDIMAS
SAUF-CONDUIT.
(Vieton užsienio paso — au lieu d'un passeport pour l'étranger).
Pavardė Kaplanas — Nom Kaplanas
Vardas Bernhardas — Prénom Bernhardas
Drauge keliauja dukte Noomi 1933.II.8 sūnus Igor 1931.II.14 — Le porteur est accompagné ... Noomi 1933.II.8 ... Igor 1931.II.14
Pilietybė Be pilietybės — Nationalité Sans nationalité
Užsiėmimas — Profession
Gimimo vieta Klaipeda — Lieu de naissance Klaipeda
Amžius 1897.III.14 — Age 1897.III.14
Gyvenamoji vieta Šiauliai — Domicile Šiauliai
ŽYMĖS. — SIGNALEMENT.
Veidas — Visage
Akių spalva — Couleur des yeux
Plaukų spalva — Couleur des cheveux
Ypatingos žymės — Signes particuliers
Šalys, kuriomis leidimas galioja. — Pays pour lesquels ce sauf-conduit est valable.
Parašas — Signature du titulaire
Galiojimas leidimo baigiasi — Ce sauf-conduit expire le 1941 ...
Duotas Kaune — Délivré à Kaunas le 1940 ... Nr. 139

TRANSIT VISA. VIZOS — VIZAS
Seen for the journey through Japan to Suriname, Curaçao and other Netherlands' colonies and to Canada
1940 VIII 29
Consul du Japon à Kaunas.
CONSULAT DU JAPON KAUNAS LITHUANIE
査証
PASSED MEDICAL EXAMINATION
LANDED Immigrant
CANADIAN IMMIGRATION OCT 29 1940 Vancouver, B.C.
通過特許
ВИЗА № 11414
ВЫЕЗДНАЯ
ТРАНЗИТНАЯ
ДЕЙСТВИТЕЛЬНА
Admitted at Detroit, Mich.
OCT 17 1945
U.S. Immigrant Inspector

ノーミ、お父さん、お兄さんの名前がのっている書類

書類のうら
(左上)杉原千畝が出した日本通過ビザ

リトアニアがソ連の領土になったので、リトアニア人はソ連人になった。ソ連人になった母がリトアニアから出るためにはソ連からの許可が必要だ。日本のビザをもっていれば許可してもらえるということだ。でも母には日本のビザがない。

母はどうしても家族といっしょにいきたいと思い、リトアニア出国の許可をもらおうと役人に会いにいった。その役人は、おそろしい人だといううわさがあった。

役人は母に、「どうしてここから出たいのか。ここでよい生活をしているではないか」と言って許可してくれない。母は、「小さい子どもがいるので、いっしょにいきたい」と必死にたのんだ。何回もたのんで、やっと許可してもらったとき、父・兄・私はカウナスの駅でモスクワへ向かう汽車に乗って母をまっていた。母は、出国許可証をもった手をふりながら走ってきて、動き始めた汽車にとび乗った。

ナタンの両親の写真がはってあるパスポート

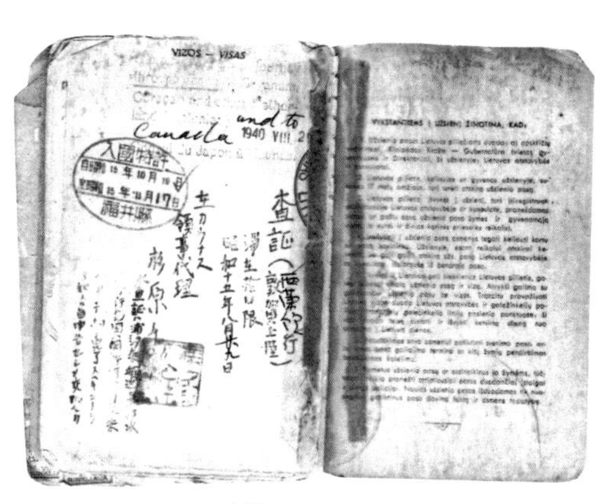

（左）杉原千畝が出した日本通過ビザ

ナタンとお父さん　カウナスの町で　1939年

〔言葉の説明〕

*1　民謡：民衆の生活・思いを歌ってつたえられてきた歌。

*2　国家元首：国の代表者。

*3　大使館：政府が外国の首都に開く施設。大使が館長。相手国との交流やさまざまな交渉を行う。ビザを出す。

*4　領事館：政府が外国の都市に開く施設。領事が館長。そこにいる自国民の保護や、国民として必要な手つづきを行う。ビザを出す。

4. ソ連を西から東へ汽車の旅

シベリア横断鉄道に乗車

カウナスで日本やアメリカのビザを得た家族らは、汽車でソ連の首都モスクワへいきました。シベリア横断鉄道に乗りかえ、ソ連の東のはしにあるウラジオストク駅までいき、そこから日本へわたる船に乗るためです。ソ連はとても広い国なので、モスクワからウラジオストクまで10日ぐらいかかりました。

アンの話

私たちはシベリア横断鉄道に乗るためビリニュスからモスクワへいった。

モスクワでは1日半、観光名所を見てまわった。寺院や劇場(げきじょう)はとても大きく、地下鉄の駅は美術館のようで美しかった。ソ連の警察官(けいさつかん)が、ずっと私たちについてきた。

モスクワ　聖ワシリー寺院(1990～2007年撮影)

シベリア鉄道　ペトロスキー・ザボート駅（1990～2007年撮影）　©寿福 滋

シベリア鉄道からのながめ　シベリアの平原（へいげん）（1990～2007年撮影）　©寿福 滋

テッドの話

シベリア横断鉄道は寝台列車だった。客車の片側は通路で、反対側はいくつかの部屋にくぎられている。室内には4つ寝台があり、そのうちの2つは、おりたたみ式で2階になる。弟と私は2階の寝台をつかった。

外に出て遊ぶことができないので退屈だったが、食堂車での食事はおいしかった。忘れられないのは、列車の窓から見たバイカル湖だ。とてもきれいだった。

バイカル湖のそばを走るシベリア鉄道（1990〜2007年撮影）　©寿福 滋

ハリナの話

モスクワに3日いるあいだ、両親はいき先国アメリカのビザを日本大使館で見せ、日本の渡航証明書をもらった。そのあと私たちは、シベリア横断鉄道に乗った。

汽車は、冬のシベリアを東に向かって進んだ。毎日、雪におおわれた平原と森、はてしない空がつづく。ときどき小さな村が見えた。停車駅がちかくなると、汽車は蒸気をあげながらスピードをおとす。駅にとまると乗客は汽車から降り、その日の食料を買う。父が列車から降りるたび、出発の時間にまにあわず、駅に残されたままになるのではないかと心配だった。

退屈だし、汽車がゆれるので気分が悪かった。ビリニュスの駅で、親戚とわかれたときのことが忘れられない。イロンカは泣いていた。おじとおばは、じっと立っていた。そんな3人の姿を思い出し、私はイロンカが駅でプレゼントしてくれたサルのぬいぐるみをだいて寝台に寝ていた。

3日目、父は私にほかの車両の通路を歩きにいこうとさそった。歩いていくと、おどろいたことに、父が知っている家族と会った。私と同じぐらいの年齢の男の子が2人いる。それからは、この男の子たちとトランプをして遊ぶようになった。私の気分はよくなり元気になった。

こうして私たちはウラジオストクについた。

シベリア鉄道　アマザル駅(1990～2007年撮影)　©寿福 滋
列車から降りて買い物をする人たち

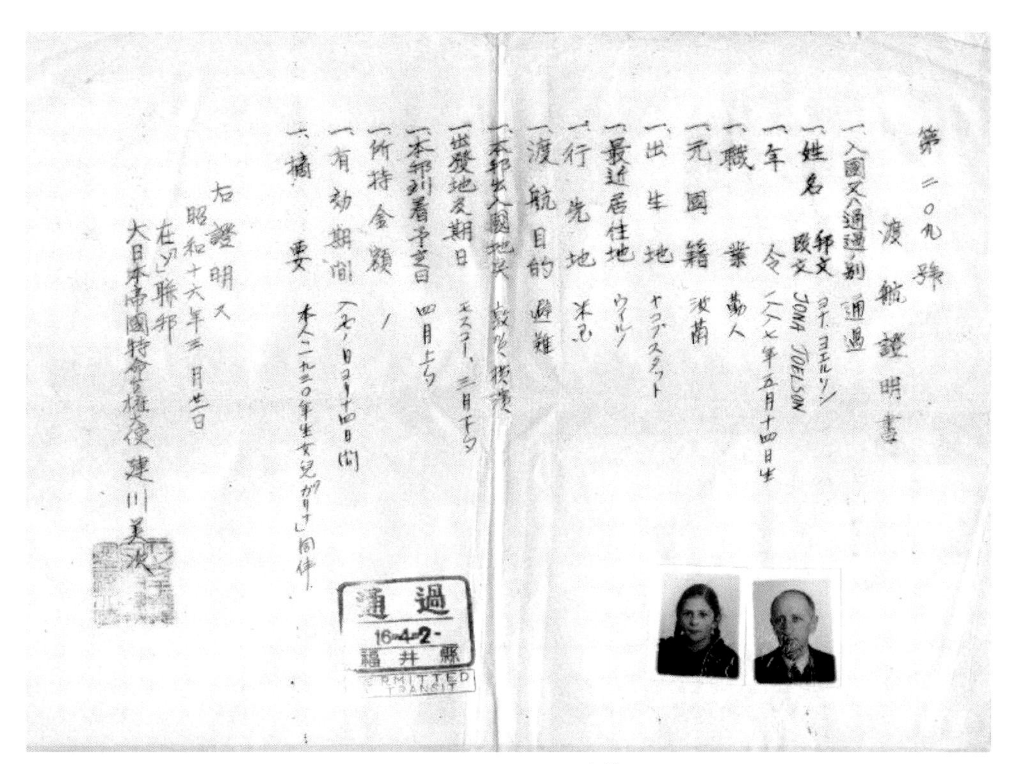

第二〇九號

渡航證明書

一、入國又ハ通過ノ別　通過
一、姓名　邦文　ヨナ ヨエルソン　歐文　JONA JOELSON
一、年令　一八八七年五月十四日生
一、職業　商人
一、元國籍　波蘭
一、出生地　ヤコブスタット
一、最近居住地　ウィルノ
一、行先地　米國
一、渡航目的　避難
一、本邦出入國地點　敦賀、横濱
一、出發地及期日　モスクワ、三月下旬
一、本邦到着予定日　四月上旬
一、所持金額　／
一、有効期間　入國ノ日ヨリ十四日間
一、摘要　本人ニ一九三〇年生女兒ハリナ同伴

右證明ス
昭和十六年三月廿日
在ソ聯邦
大日本帝國特命全權大使　建川美次

通過
16-4-2
福井縣
PERMITTED TRANSIT

ハリナのお父さんに出された渡航証明書

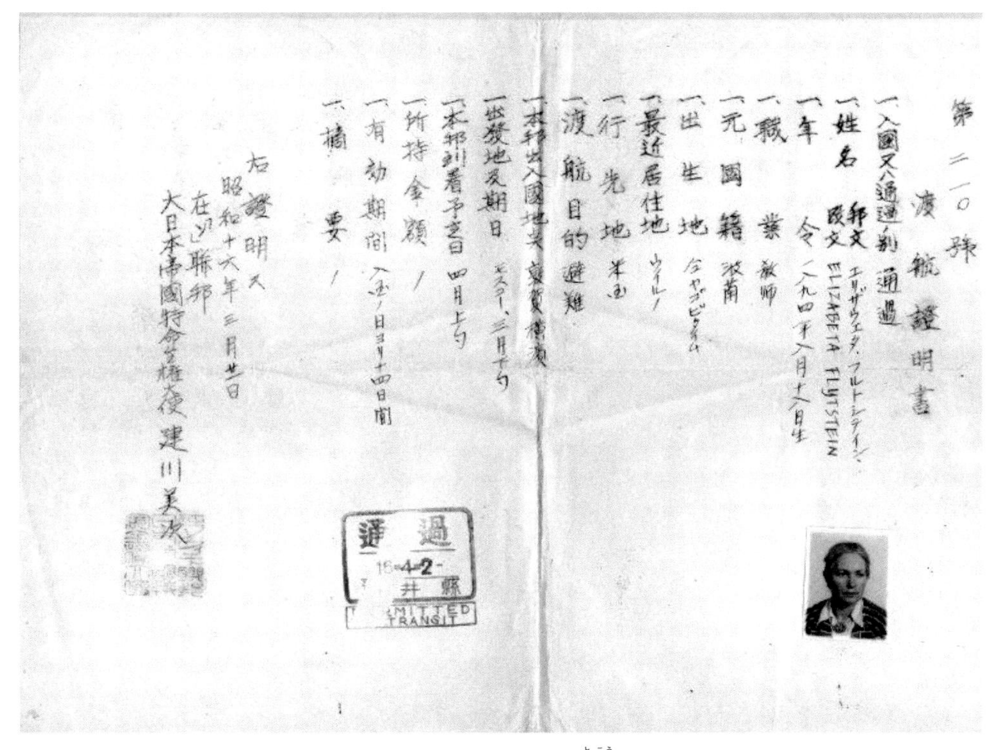

第二一〇號

渡航證明書

一、入國又ハ通過ノ別　通過
一、姓名　邦文　エリザヴエタ・フルトシテイン　歐文　ELIZABETA FLYTSTEIN
一、年令　一八九四年八月十八日生
一、職業　教師
一、元國籍　波蘭
一、出生地　[illegible]
一、最近居住地　ウィルノ
一、行先地　米國
一、渡航目的　避難
一、本邦出入國地點　敦賀、横濱
一、出發地及期日　モスクワ、三月下旬
一、本邦到着予定日　四月上旬
一、所持金額　／
一、有効期間　入國ノ日ヨリ十四日間
一、摘要　／

右證明ス
昭和十六年三月廿日
在ソ聯邦
大日本帝國特命全權大使　建川美次

通過
16-4-2
井縣
MITTED TRANSIT

ハリナのお母さんに出された渡航証明書
渡航証明書は、大使館や領事館で、国籍をもっていない外国人に出したパスポートやビザにかわる証明書

マルセルの話

ウラジオストクについた。ここではソ連の役人が、旅行者の荷物を検査し、「役にたたない物」はとりあげるということだ。そう聞いていたので、シベリア横断鉄道に乗っているあいだも、降りたあとも、ユダヤ人があつまると、宝石のような高価な物はどこにかくしておくかが話題になった。薬にまぜておく、かばんの皮をはいだり、底を二重にして、かくしておく。いろいろな案があるものだ。

私の家族には、それほど不安はなかった。価値ある宝石は、ビリニュスで生活費を得るため、もう売ってしまったからだ。その残りや、安物のアクセサリーを母は身につけていた。それさえも、きれいな石ははずして売り、はでな赤いガラスにつけかえていた。

検査が始まった。まず、母が首にかけていたゴールドのロケットペンダントが、鎖もいっしょにとりあげられた。ロケットには、母の両親の写真が入っている。

マルセルのお母さん

次に、父と母の結婚指輪もとりあげられた。父のゴールドの懐中時計は、時計の部分は「役にたつ物」なので父にかえされた。でも、鎖はとりあげられた。

この検査のあいだ、私はすみにすわって静かに本を読んでいた。手袋をしているのでページをめくりにくい。じつは手袋の中に、母の指輪3つをもっていた。だが、子どもの私をだれも気にしない。

検査が終わると、役人が私の両親や親戚たちの身分証明書にじゅんばんにスタンプをおしていった。母の身分証明書になったとき、それをじっと見ていた役人は、とつぜん顔をあげ母のほうを見た。そして、そばにくるようにと指で合図をする。私たち全員、なにが起こるのかとおそろしくて、息がとまりそうだった。

母がいくと、役人はもう一度母の身分証明書を見て、両手を母のほうへのばしてロシア語でこう言った。「お誕生日おめでとう」

カウンターにつまれていた父と母のアクセサリーや鎖のすべてが、母の方へおし戻された。母の誕生日3月10日のことだった。

マルセルのお父さん

ノーミの話

シベリア横断鉄道の旅はとても長かった。そのあいだ客室でおとなしくしていなければならなかった。私の両親は、子どもたちがなにか問題を起こして、汽車から降ろされてはいけないと思っていたからだ。

もっていた荷物は、とちゅうでとりあげられたり、ぬすまれたり。ウラジオストクについたときには多くの荷物がなくなっていた。

ウラジオストクにいるあいだ、母は何回か日本の領事館にいって、日本通過ビザをもらった。父と兄と私は、カウナスの日本人領事からビザをもらっていたので、これで家族そろって日本にいけることになった。

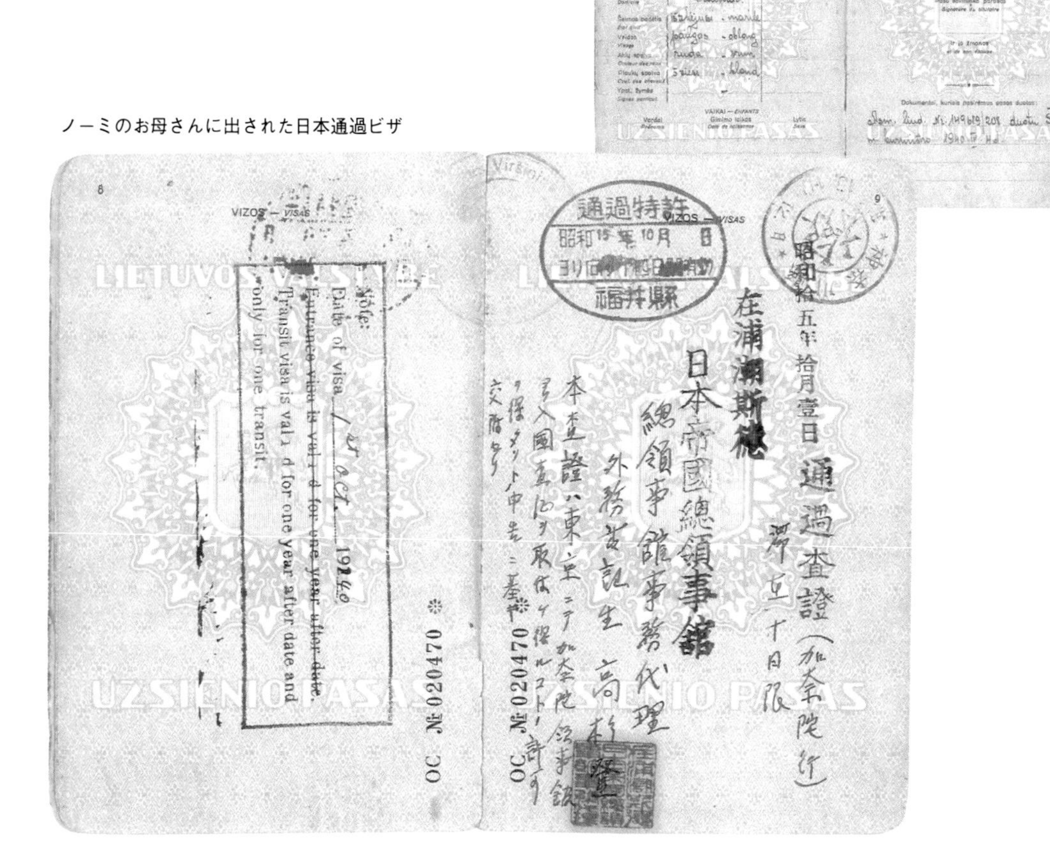

ノーミのお母さんの写真がはってあるパスポート

ノーミのお母さんに出された日本通過ビザ

ソ連にあった日本大使館・総領事館とユダヤ避難民

1940年7月・8月、杉原千畝がカウナスの領事館でユダヤ避難民たちに日本通過ビザを出したあと、日本には避難民が続ぞくと到着するようになります。

1941年1月・2月、日本へわたってくるユダヤ避難民の数はますます多くなります。

3月、外務省はとくにソ連のモスクワにあった日本大使館へ、避難民に出すビザの数を制限する新しい方針を連絡しました。ところが、そのころモスクワの日本大使館には、ビザをもらおうと多くの避難民があつまっていました。

大使の建川美次は、「新方針ができたためビザをもらえなくなった避難民たちが、大使館から去ろうとしない。ひどく泣いている人もいる。館員がこまっている」と外務省に報告し、「以前のようにビザを出せるようにしてほしい」とたのみました。

外務省は、ウラジオストクにある日本総領事館（総領事が館長）にも次のような連絡をしました。

「ウラジオストクにいる避難民がもつ通過ビザで1940年12月20日よりまえに出されたものを、もう一度検査しなさい。いき先国からの入国許可証をもっていない人は、日本へわたる船に乗せないようにしなさい」

この命令に、総領事の根井三郎は、「日本の大使館や領事館で出したビザがつかえなくなれば、日本のビザは世界で信用してもらえなくなる」と反対しました。そして、ユダヤ避難民たちを日本へいく船に乗せました。

ウラジオストク

日本人街があった港町

ウラジオストクは、1800年代後半(日本では江戸時代末期から明治維新のあと)、軍港の町として発展しました。漁港・船乗りが寄る港・探検家や開拓者が上陸する港の町でもありました。そのため、昔の船・軍人・開拓者の名前がつけられた通りや場所が今でもあり、この町の歴史を物語っています。

日本海をわたってウラジオストクにきた日本人もいました。移り住み、商業を始める人もいます。日本人が増えてくると日本人街ができ、日本人向け食品・日用品・家具などを売る店が並び、日本人学校・お寺も建てられました。

1876年(明治9年)、ウラジオストクに日本貿易事務館が開かれて、日本人の商業を助けるようになります。

ヨーロッパと日本をつないだ鉄道と船

ウラジオストクに鉄道駅ができたのは1894年のこと。ロシア領土内を走るシベリア横断鉄道の東の発着駅となり、西のモスクワと結ばれました。

1906年(明治39年)、ウラジオストクと敦賀のあいだで、週2回、定期船が出るようになります。1912年には、この定期船に連絡する列車が敦賀と東京のあいだで運行を始めました。その結果、ヨーロッパから鉄路と航路を利用し、モスクワ・ウラジオストク・敦賀を通って、日本まで最短2週間ほどでの往来が可能になりました。このルートが、その後、危険なヨーロッパからにげ出そうとするユダヤ人たちに役立つのです。

Vladivostok

日本総領事館だった建物　現在は裁判所

日本総領事館に向かったユダヤ避難民

ウラジオストクの日本人の商業を支えていた貿易事務館は、1909年(明治42年)、総領事館になります。木造の建物は、1916年、石造りギリシャ式に建て替えられました。

第二次世界大戦の初期、ユダヤ避難民の中には、移動に必要なビザをもたないままモスクワからシベリア横断鉄道に乗り、ウラジオストクの日本総領事館でようやくビザをもらうことができた人もいました。そのビザのおかげで日本上陸が可能となり、ヨーロッパ脱出を果たしたわけです。

ユダヤ避難民が上陸したころの敦賀港

5. 日本での思い出

日本に到着

　ソ連の港町ウラジオストクから船に乗った子どもたちと家族は、日本の敦賀港につきます。

　敦賀からは列車に乗って神戸にいき、しばらく滞在しました。神戸から東京にいった家族もありました。

天草丸　海運会社「北日本汽船」の船　ウラジオストク港から敦賀港までユダヤ避難民を乗せた

ノーミの話

1940年10月9日、敦賀港についた。父が私をだいて船から降りると、見学していた日本人が私の髪をなでた。「日本人の髪の色とちがうから」と父が言った。私の髪は金髪[*1]だ。日本人から髪をさわられても、こわいとは思わなかった。

ウラジオストクでは大きなトラックが黒い煙を出して走っていたけれど、敦賀は空気がきれいで、思いっきり息をすうことができてうれしかった。

ナタンの話

10月19日、私の家族3人を入れ122人の避難民が敦賀港についた。

11月、父は東京にあるカナダ公館[*2]でビザを得た。

両親は後年、「日本ではとても親切にしてもらった」と思い出を語っていた。

アンの話

1941年2月、ウラジオストクから乗った船は嵐におそわれた。船は左右に大きくかたむき、はげしくゆれた。下の階の船室にいたユダヤ避難民は、みんな気分が悪くなった。敦賀港に到着できたのは、再び奇跡が起こったようなものだ。

敦賀から神戸へいき「オリエンタルホテル」に2晩とまった。そのあと小さな家を借りて2カ月半住んだ。日本人はあいさつをしてくれて、親切だ。

ある日、汽車に乗った。日本一高いという富士山が窓から見えた。きれいな形をした山だった。

抱き合つて嬉し泣き
猶太人二百四十名どつと神戸へ

呪はれた"J"の烙印を背に歐洲の天地を追はれて安住の地いづくとさすらひつゞけるユダヤ人の一團二百四十名は十三日敦賀に上陸、落ちつく先とてない身の、せめて假寝の安らかさを求めて、同胞ユダヤ人協會が懐を開けて待つ國際都市神戸へ！

十四日のたそがれ大阪から省電の急行に乗込んだ一行は三輛連結の電車を殆んど占領して四時五十分三宮驛着、三宮驛では、すでに神戸市内五ケ所の收容所やホテルなどに泊つてゐる避難先のユダヤ同胞約二百名が改札口プラット・フォームを埋めつくして一時間も前から出迎へてゐたが、電車の到着と同時に溢れ出す同胞の中から知己を、肉親を求めて相抱き、頬ずりして涙を流さんばかりの歡迎ぶりに驛頭の人々の眼頭をうるませた

彼等の中にはいたいけな少年少女も三十數名まぢつてをり、鼻さきに鼻をあからませて、同胞の歡迎の人波に揉まれながら「コウベコウベ」と喜びの叫びをあげるのもいぢらしかつた、一行は協會員や先住隊の案内ですでに満員の收容所に割込ませてもらつたり市内のホテルや知己の家に宿を求めて犇めき合つたが、これで神戸市内のユダヤ人は約九百名となり、彼らの行手に門をとざす世界の國々の白眼に怯えながら、しばらくみなと神戸にさすらひの夢を結ぶこととなつた

大擧來神した猶太人の群れ　きのふ三宮驛附近にて

先づ"明日の"パン"を"
悲惨な獨系ユダヤ人

儚い運命をその日その日に託しつつ世界の裏街道を行くユダヤ人……だが彼らにも生きる煩惱はある、ヨーロッパを追はれて日本へ……そしてこゝ國際都市神戸に流れこんだユダヤ人たちは恐らく二百名を突破してゐるだらうといはれてゐるが、それにしても彼らの生活は想像以上に深刻であり、餘りにも悲惨だ、神戸に暫らくの憩ひを求めた彼らは神戸ユダヤ人協會の温かい救手により市内各ホテル或は友人、知己の家庭に引取られ辛くも生の喜びにひたつてゐるといふ實情にある

一口にユダヤ人といつてもドイツ系あり、ポーランド系あり、リスアニヤ系、ロシア系といつた工合に複雑多岐を極めてゐるが、この中最も惨めなのはドイツ系ユダヤ人である、彼らは祖國を追はれるとき僅か米貨五弗の持出しが許されず文字通り着の身着のまゝの姿だつた、従つて彼らは祖國を發つとき金に代るべき高價な貴金屬類、或は株券などを身につけたのであるが、それも小遣に困るところから一つ二つと手放してこれをその日のパンに代へるといふわびしい風景さへ見受けられる

アメリカにあるユダヤ人協會本部では大戰勃發以來難民救濟のために支出した金額は實に百萬弗を越えてゐるが、このうち本年に入つて神戸に送られて來たものは一萬二千餘圓だ、ユダヤ難民救濟會ではこれを基金として神戸在住五百名のユダヤ人を賄つてゐるのだが、勿論これだけでは焼石に水である「將來のことを考へるよりも、明日のパンのことを考へる」これが彼らの偽らざる今日の告白だらう

神戸についたユダヤ避難民についての記事
(神戸新聞 1941年2月15日)

荊の旅語る破れトランク

雪崩れこんだユダヤ人の荷物

どつとばかりに雪崩れ込んだ荷物の洪水、一度になんと五百個余が三宮驛の地下室に堆く積み上げられた、こんなこと全く空前です――とは大袈裟な驛員の驚きやうだが、昨今のミナト神戸はさながらに流浪の民の足溜り、時ならぬユダヤ人街の出現だ、滿身創痍のこれらのトランクはシベリヤ経由の苦難の旅を如實に物語つてゐるやうに見えるのだがその考現學的考察は「ザツとこんなことになる――」

彼らのトランクはいづれも眞新しいが皮革製は一つもない、いづれもフアイバーもしくは布張りのみるからに安物だ、無殘にも永の旅に金具はこはれパックリと口を開けてゐるもの、そこかしこが破れて中から汚れた衣類がのぞいてゐるものなどどれにも安住の天地を求める彼らの荊の道程を語るものばかり、中には「英語會話の手引」などといふ本をしのばせてゐるものもあり、アメリカ大陸への彼らの儚い憧憬を示してゐる

これらの荷物は十七日夕刻までに全部引取られたが、一方神戸驛にも彼らの大きな引越し荷物が百五十個余り積まれてゐる、これらは目的地に着くまで引取れぬもので一日十五戔の保管料が徴収される僅かな金しか持たない彼らにしてみればその十五戔も相當の負擔となるらしく引取らしてくれと申出るものが多いので驛では稅關と相談したする稅關倉庫の一部をこれらのために安い料金で開放することになり漸次稅關へ移轉してゐる

山と積み上げられたユダヤ人の荷物　三宮驛地下室にて撮す

神戸、三宮駅につまれたユダヤ避難民の荷物についての記事（朝日新聞 1941年2月18日）

ハリナの話

1941年4月、私たち一家が神戸についたとき、町には太陽がてっていた。桜が満開だ。色あざやかな着物をきている女の人。下駄をはいている人。洋服の人もいた。

3週間とまった部屋は日本式の家の中にあり、窓から学校が見えた。私は窓のそばにすわり、校庭で子どもたちが軍隊の行進や訓練のようなことをするのを見ていた。

神戸はおもしろい町だ。通りに小さな店が並んでいる。駅前には近代的なデパートが建っている。デパートの屋上には食堂があった。

テッドの話

神戸にはポーランドからきたユダヤ避難民の子どもがほかにもいて、いっしょに遊んだ。

父はアメリカにいくためのビザをもらおうと、何回か東京にいった。ある日、アメリカではなく、カナダのビザを得てきた。

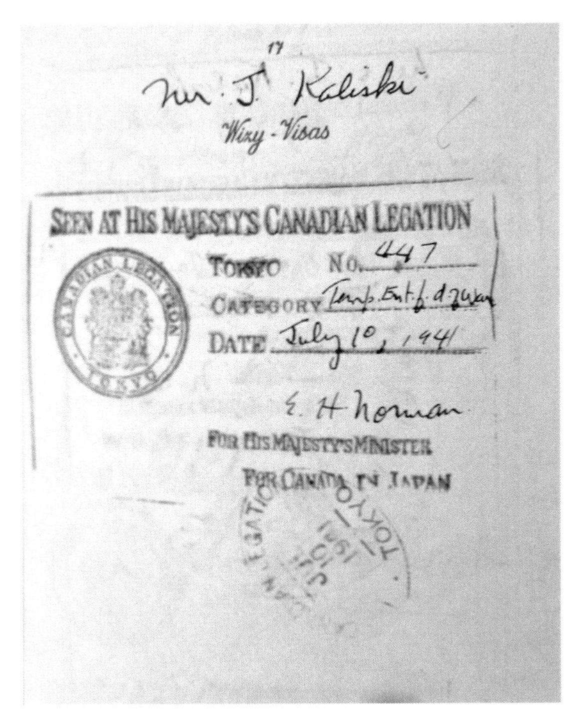
17
Mr. J. Kaliski
Wizy - Visas

SEEN AT HIS MAJESTY'S CANADIAN LEGATION
CANADIAN LEGATION TOKYO
TOKYO No. 447
CATEGORY
DATE July 10, 1941
E. H. Norman
FOR HIS MAJESTY'S MINISTER
FOR CANADA IN JAPAN

テッドのお父さんがもらったカナダのビザ

ユダヤ避難民がきたころの神戸　通りに、すずらんの花のような形をした街灯が並んでいる

マルセルの話

神戸につくと、ユダヤ避難民の世話をする人たちがまっていて、私たちがとまる場所につれていってくれた。2階がある日本式の家だ。長方形の小さな庭もある。

私は、アメリカ人が先生をしている学校にかよった。歩いていける。英会話がじょうずになりたかった。集中して勉強をしたので、短いあいだにかなりじょうずに話すことができるようになった。

電車の駅がある通りをよく歩いた。すずらんの花のような形をした街灯が並んでいたので、私たちはここを「すずらん通り」とよんでいた。ちかくにはデパートもあって、屋上の食堂で私はいつもヤキソバを注文した。とてもすきだったので、ヤキソバのほかは食べたいと思わなかった。

ユダヤ避難民がきたころの神戸

（左奥）大丸(だいまる)デパート

（左奥）そごうデパート

ゾリアの話

神戸についたあと、いき先の国アメリカのビザを得るため、一家で東京にいった。私の両親はリトアニアにいるとき、アメリカのビザをもらえることを知った。だが、リトアニアにあったアメリカ領事館はソ連の命令で閉まっていたので、ビザはもらえなかった。

東京で、父はアメリカ大使館にいったが、アメリカ政府からの特別な指示がないとビザは出せないと言われた。そこで父は、指示が出たかどうかを確かめるため、毎日、アメリカ大使館にいった。結局、ビザをもらうまで6カ月以上も東京のホテルにとまることになった。宿泊費や生活費は、アメリカのユダヤ団体が助けてくれた。

日本人は私たちにいろいろと親切にしてくれた。日本は中国と戦争中で、食品の多くが配給制*3だった。パンは売られていなかったが、パン工場にはユダヤ避難民にじゅうぶんな量を焼くためにと、とくべつに材料が与えられていた。食料品店の店主は、赤ん坊の私のために、卵を毎日1個、母に与えてくれた。

ゾリア　東京　1941年1月

〔言葉の説明〕

*1 金髪：金色の髪。

*2 公館：他国との交流のため外国に開く自国の施設。

*3 配給制：きめられた量の食品や生活用品をくばること。

*4 ヘブライ語：古代エジプトでユダヤ人がつかっていた言葉。長いあいだ研究され、現在ではユダヤ人がつくった国イスラエルで話される言葉になった。

*5 同盟国：同じ目標や目的のために、いっしょに行動したり関係したりすることを約束しあった国。

ユダヤ避難民に親切だった日本人

1940年・41年、避難民として日本にきたとき、日本人に親切にしてもらったことを思い出すユダヤ人がいます。

神戸ではホテルや旅館のほかに、市民の家やアパートも滞在場所となったので、そこに住む日本人と交流しました。

ヘブライ語[*4]学者の小辻節三は、ユダヤ避難民をいろいろと助けました。たとえば、日本通過ビザで滞在できるのは10日だけだったので、いき先国がなかなかきまらないユダヤ人たちのために、もっと長く滞在できるようにと神戸の警察にたのみました。

また、通訳をしたり、ユダヤ人と日本人との文化や習慣のちがいを説明しました。日本とドイツは同盟国[*5]だったので、ユダヤ人を助けることは危険でした。それでも小辻は、いっしょうけんめいに世話をしました。

ミエテック・ランペルト(中央)と日本人
神戸　1941年

ミエテック・ランペルト(左から2人目)、
セム・ロゼンブルム(右はし)と日本人
神戸　1941 年

ユダヤ避難民を助けた
ポーランド大使タデウシュ・ロメル

1940年・41年、敦賀に上陸してきたユダヤ避難民の多くはポーランド人でした。東京にあったポーランド大使館では、タデウシュ・ロメル大使と館員たちが、避難民の救援に忙しくなります。

ロメル大使は、避難民がパスポートをもたず、いき先国がきまっていなくても日本に入国できるよう、日本政府にたのみました。

館員が敦賀にいって、ウラジオストクから船でつく避難民をむかえました。神戸に住むユダヤ人と協力して、避難民がとまる場所や生活の世話もします。

また、ポーランドに残っている家族との連絡や、文化的な行事も行いました。

大使館では、避難民がいき先国へわたるため必要になるパスポートを発行し、カナダやほかの国にも避難民を受け入れてほしいとたのみます。

ロメル大使は、「ユダヤ人であろうとなかろうと、少数民族であろうとも、ポーランド国民であれば、国民としての権利をもつ」と言い、ユダヤ避難民を差別せずに助けました。

タデウシュ・ロメル

6. 避難の旅の終わり

カナダやアメリカなどいき先国からビザを得た家族は、いよいよ神戸や横浜の港から船に乗って太平洋をわたります。

しかし、いき先国がきまらないユダヤ避難民も数多くいました。日本政府はこれらのユダヤ人を1941年8月と9月、4回にわけて、日本軍が占領していた中国の上海へ移動させました。

ノーミの話

1940年10月、横浜からカナダの船に乗った。ある日の夜、船内にサイレンが鳴りひびき、バタバタとろうかを走る足音が聞こえた。家族全員、救命ジャケットをきて、甲板にあがった。ほかの乗客たちも、あつまっている。どこからか飛行機が船の上空にあらわれた。船がゆれている。

しばらくすると、空も海もまた静かになり、みんなほっとしたように客室に戻っていった。父が、「船長はこの船が攻撃をうけたと思ったのだろうと」と説明してくれた。

10月23日、カナダのバンクーバーについた。次の日、汽車に乗った。1年まえからカナダに住んでいるおじいちゃんとおばあちゃんの農場へいくためだ。1週間というもの、汽車は、いってもいっても平原を走る。ソ連をシベリア鉄道で横断したときのようだ。でもこんどは、コーンウォール駅につくと、おじいちゃんとおばあちゃんがホームに立ってまっていた。私たちをむかえにきてくれたのだ。

長い旅がやっと終わった。

（左から）ノーミ、ペットのバスター、お兄さんイゴル
農場で　1941年

氷川丸 *Hikawa maru*

ナタンの話

横浜から乗った氷川丸は、1941年1月8日、バンクーバーについた。その年の12月、弟が生まれた。

戦争のあいだ、両親はバンクーバーのちかくで養鶏場[*1]を経営した。

戦争が終わると、父は日本の家庭でつかう調味料の原料を、カナダから輸出する会社を始めた。そのあと、日本の建築用金具を、カナダに輸入した。さらにカナダの原料をつかった日本の調味料を、ぎゃくにカナダに輸入した。父の会社は大きくなった。

父が仕事で日本へいくときはいつも、「心配ない」と家族に言って旅立った。日本で滞在したときのよい思い出があったからだ。

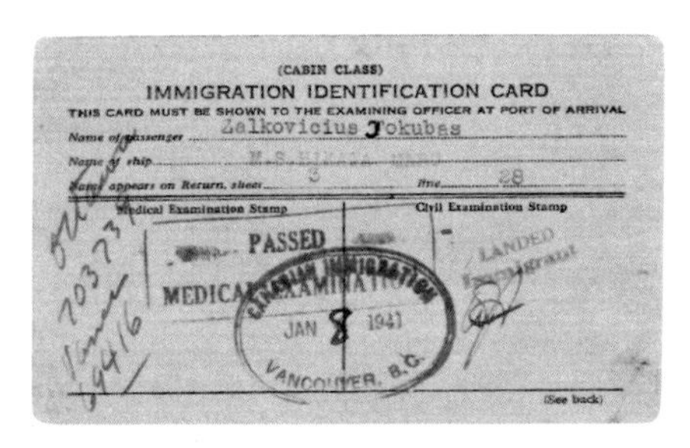
(CABIN CLASS)
IMMIGRATION IDENTIFICATION CARD
THIS CARD MUST BE SHOWN TO THE EXAMINING OFFICER AT PORT OF ARRIVAL
Name of passenger Zelkovicius Jokubas
Name of ship M.S. [illegible]
Name appears on Return, sheet 3 line 28
Medical Examination Stamp / Civil Examination Stamp
PASSED MEDICAL EXAMINATION
CANADIAN IMMIGRATION JAN 8 1941 VANCOUVER, B.C.
LANDED Immigrant
(See back)

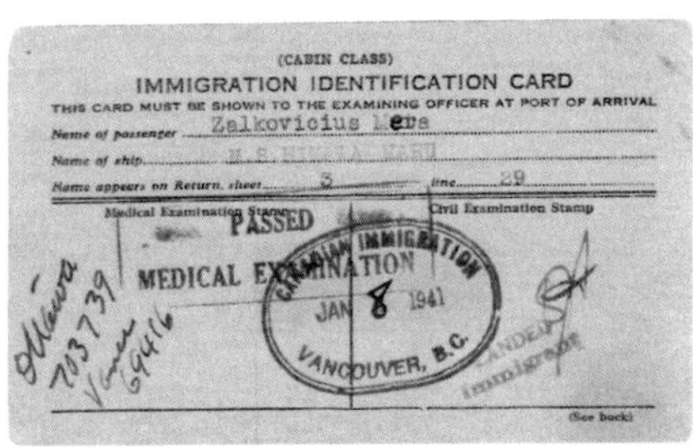
(CABIN CLASS)
IMMIGRATION IDENTIFICATION CARD
THIS CARD MUST BE SHOWN TO THE EXAMINING OFFICER AT PORT OF ARRIVAL
Name of passenger Zelkovicius Mera
Name of ship M.S. [illegible]
Name appears on Return, sheet 3 line 29
Medical Examination Stamp / Civil Examination Stamp
PASSED MEDICAL EXAMINATION
CANADIAN IMMIGRATION JAN 8 1941 VANCOUVER, B.C.
LANDED Immigrant
(See back)

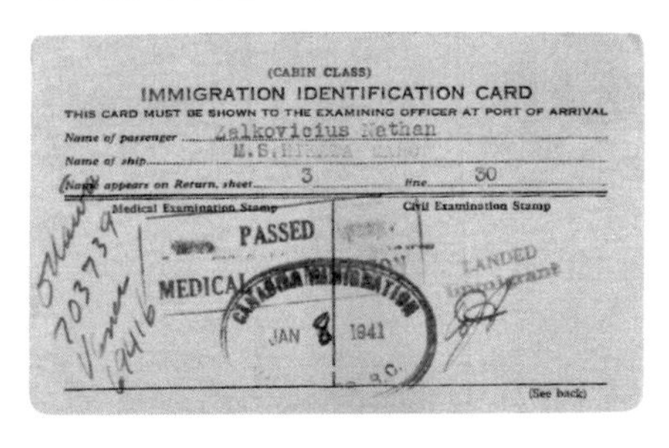
(CABIN CLASS)
IMMIGRATION IDENTIFICATION CARD
THIS CARD MUST BE SHOWN TO THE EXAMINING OFFICER AT PORT OF ARRIVAL
Name of passenger Zelkovicius Nathan
Name of ship M.S. [illegible]
Name appears on Return, sheet 3 line 30
Medical Examination Stamp / Civil Examination Stamp
PASSED MEDICAL
CANADIAN IMMIGRATION JAN 8 1941 B.C.
LANDED Immigrant
(See back)

（上から）
お父さん、お母さん、ナタンのカナダ入国カード

お父さんヤクブ、ナタン、弟サム　バンクーバー　1943年

浅間丸 Asama maru

ハリナの話

1941年4月、アメリカにわたるため横浜から浅間丸に乗った。10日間の船旅だ。同じユダヤ避難民の子どもたちはすぐになかよくなり、日光浴やトランプをして遊んだ。

船はハワイで1日とまった。ヤシの木やいろいろな花が見えた。

ハワイからサンフランシスコにつくと船を降り、ニューヨークへいく汽車に乗った。

アメリカで移民*2として生活を始めたころのできごとで、忘れられないことが二つある。

ひとつは、寄付された男の子用のくつを私がはかねばならなかったこと。

もうひとつは、学校の校長先生との会話だ。私は11歳だったが、1年生のクラスに入れられた。ひどいことだ。私は校長先生に、5年生のクラスに入れてもらえないかとたのんだ。5年生では分数を勉強しているからだ。私はポーランドの学校でもう分数を勉強していたと説明した。すると校長先生は、「あなた、ポーランドで学校にいっていたの」と言っておどろいた。

(左から)ハリナ、お父さんヨナ、お母さんエリザベタ、右の３人はハリナのともだち
ニューヨーク　1943年

日枝丸 *Hie maru*

アンの話

1941年5月6日、私の家族５人と親戚４人は、横浜から日枝丸に乗った。私の家族はカナダのビザをもっていて、カナダ西海岸のバンクーバーをめざす。アメリカのビザをもつ親戚たちは、バンクーバーの手まえ、アメリカのシアトルまでだ。船にはほかにもユダヤ避難民が乗っていた。

５月18日、シアトル港に到着。親戚４人は船を降りた。

５月19日、バンクーバー港に到着。すばらしい春の日だ。ようやく自由の国カナダにきた。どんなにうれしかったことか。私たちはモントリオールに向かうまで数日間、バンクーバーですごした。

アン　日枝丸にて

アン　救命ブイにすわって
（右から）お父さんアルフレッド、お母さんマリア、お姉さんエバ、お兄さんミハウ
日枝丸にて　1941年

日枝丸 *Hie maru*

ゾリアの話

東京で滞在していた両親と私は、ある日、カナダのビザをもらえることになった。

5月6日、家族3人、日枝丸に乗り、太平洋を横断。5月19日、バンクーバー港についた。

ところが、私の家族がもっていたビザではカナダに入国できないと言われ、両親はびっくりする。幸い、バンクーバーに住むユダヤ人たちの世話で、私たちは船から降りることがゆるされた。ホテルにとまり、カナダ政府からの許可をまった。２週間ほどしてビザの問題は解決し、やっとカナダ入国が実現した。

ゾリア、お父さんアルトウル、お母さんマニャ
日枝丸にて

ゾリアと両親
バンクーバー　1941年

平安丸 *Heian maru*

テッドの話

1941年7月17日、横浜港からカナダのバンクーバー港へ向かう平安丸に乗った。

とちゅう、アメリカのシアトル港に到着する予定は7月29日だった。しかし船はシアトル沖で2日間、待機した。その月、日本の軍隊が東南アジアを攻撃した。これが原因で、アメリカ国内で日本に関係する経済活動がとめられ、それが影響したからだ。

7月31日、船がシアトル港につくと、乗客は全員、船から降ろされた。そこにはバスがまっていて、カナダへいく乗客をカナダの船まで運んだ。平安丸は日本にひきかえした。

私たちのカナダ入国日は、8月2日だった。

(右はし)テッド　(左から２人目)お母さんルドビカ　(左から４人目)お父さんヤクブ
平安丸　シアトル港についたとき　1941年

マルセルの話

1941年9月、日本政府は、神戸に残っているユダヤ避難民の最後のグループを上海に移送した。私の家族もその中にいた。

上海で、母と姉ハラは、洋服をぬうための布を切る仕事や、編み物をして働いた。その一方で母は、上海に住むポーランドからのユダヤ避難民のために、「キッチンNO.1」という食堂を開いた。母のポーランド料理は人気だった。

ハラの夫ボレクも会計士として働いた。私は「上海ユダヤ人学校」に通学して卒業した。姉マリアは、太平洋戦争*3が始まるまえに、ひとりでオーストラリアにわたり、シドニーという町で結婚し暮らすようになった。父は、上海にいるあいだに病気で亡くなった。

1945年、戦争が終わった。上海に残っていた母・ハラ・ボレク・私の4人は、マリアがいるオーストラリアで生活することになった。

翌46年9月、私たちを乗せた船はシドニーの港に入っていった。だんだんとちかづいてくる陸の方を見ていると、たくさんの人にまじって手をふっている女の人がいる。

「あそこだ」。マリアだ。私たちに必死に手をふっていた。

(左から)マルセル、ハラ、ボレク
シドニーについたとき　1946年

〔言葉の説明〕

*1　養鶏場：鶏を飼育する場所。

*2　移民：ほかの国に移り住むこと、移り住んだ人。

*3　太平洋戦争：第二次世界大戦のうち、アジア・太平洋地域で起きた戦争。

ユダヤ避難民を乗せた船

ユダヤ避難民が日本からいき先となる国へわたるのに、日本の海運会社「日本郵船」の船が活躍しました。神戸や横浜の港から避難民を乗せ、カナダ・アメリカ・オーストラリアへと向かいました。

日本郵船の船に乗った避難民たちは、「サービスがよかった」「食事がおいしかった」「ほかの避難民の子どもたちと遊んだ」と楽しかった思い出を語ってくれます。船上でとった写真をたいせつに保存している人もいます。

平安丸

氷川丸船上のユダヤ避難民　1941年6月

カナダ　バンクーバー港　1940年代

バンクーバー　1940年代

7.あの時の子どもたちからのメッセージ

テッド・カリスキ

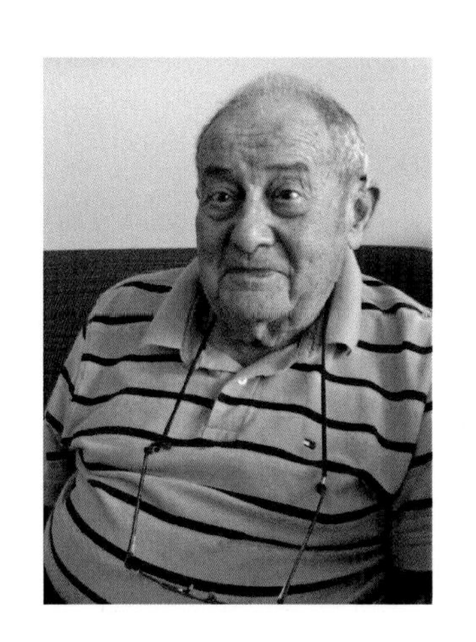

私が生まれたポーランドのワルシャワは、美しい公園がたくさんある町でした。住んでいた家の中のことや、建物の外壁がれんがだったことをおぼえています。

日本からカナダのバンクーバーについた次の年、私は大学に入学しました。卒業して電気技師になり、モントリオール市にある大きな電力会社で長いあいだ働き、重役になりました。

カナダもよいところです。カナダに住むことになってほんとうによかったと思っています。

マルセル・ベイランド

オーストラリアに住み、建築の勉強をして建築家になりました。

すきだったポーランド語の文学作品を英語に訳しています。

2015年9月、リトアニアを訪れました。75年まえ、杉原千畝一家がとまったカウナスのホテルや、一家が汽車に乗った駅に記念プレートが設置されたからです。そのお祝いの式で、スピーチをしました。プレートにつくられた杉原の顔を仰ぎ見て、日本語で「ありがとう」と言いました。

ハリナ・カントー（ヨエルソン）

日本についたのは4月だったので、満開の桜を見あげたことをおぼえています。日本の人たちが、文化のちがうヨーロッパからきたユダヤ避難民にやさしく、親切にしてくれたのはなぜだったのだろうと今でも考えることがあります。それは日本人が、「人の命」への思いやりをもっていたからではないでしょうか。

アン・ネイベルト

大学で社会福祉の勉強をして博士号をとり学生たちに教えました。いろいろな困難やなやみをもつ人たちを助ける仕事をしました。

私の家族が日本に入国できるようビザを出してくれた杉原千畝とご家族、私たちがカナダに出発するまで安心して滞在させてくれた日本の人たちに心から感謝します。

ノーミ・カプラン

写真の撮影がとくいです。今住んでいるバンクーバーで、杉原千畝に関する催しがあったとき、1940年リトアニアで父が杉原からもらったビザを拡大した写真をつくり展示しました。

ユダヤ人という理由で殺されるべきではない、助けてやりたいという思いから出されたビザは、数千人の命をすくい、子孫の誕生につながりました。この世にはなかったかもしれない多くの命をすくったことは、すばらしいできごとでした。

ナタン・ザルコウ

孫が杉原千畝についてしらべ、学校で発表しました。

世界では、かわいそうなこと、悲しいことが毎日起こっています。だから、杉原千畝のように、こまっている人のために勇気をもって行動した人のことを話し、記憶しておくことはたいせつです。そうすることで私たちはほかの人を理解し、助ける努力をすべきです。

ゾリア・レルメル

2002年、ポーランドを旅行したとき、戦争が始まるまえ両親が住んでいたウッチを訪ねました。私は、両親の避難中ではなく、その町で生まれるはずでした。戦争の災いからにげている私たちの入国をゆるしてくれた日本に感謝しています。

日本からカナダにきて育ち、私はスキーやホッケーをするのが大すきです。大学で経済学の教授になりました。日本とカナダの大学の交流をつくるため、日本に3週間滞在したことがあります。とてもよい思い出をつくりました。

リトアニア「杉原記念館」内の展示(2012年撮影)

リトアニア、カウナス日本領事館だった建物(2012年撮影)　現在は「杉原記念館」

- 第二次世界大戦のあいだを含む1933年から1945年まで、アドルフ・ヒトラーが率(ひき)いたナチス(ナチ党)が支配したドイツは「ナチス・ドイツ」とよばれますが、この本では単にドイツとしました。
- ヤン・ツバルテンダイク領事代理(32ページ)、杉原千畝(すぎはらちうね)領事代理(34ページ)、根井三郎(ねいさぶろう)総領事代理(49ページ)の肩がきは、それぞれ「領事」「総領事」としました。

おわりに

ちがいを楽しみ
助けあえば世界は、

カナダは、第二次世界大戦中、ヨーロッパからユダヤ人が避難してきた国のひとつです。この本で登場する7人の子どもたちと家族のうち、5家族が日本を通ってカナダにきました。

カナダの特徴と言えば「多民族・多文化」。世界のいろいろな国や地域から、さまざまな民族があつまって生活しています。私のように国籍は生まれた国のままで（私は日本）、カナダにずっといることができる「永住権」を取得して住んでいる人もたくさんいます。そのため異なった文化を見たり聞いたりできます。

たとえば、公用語は英語とフランス語ですが、道を歩いていたり、買い物をしていると、ちがう言葉が聞こえてきます。スペイン語・ドイツ語・ロシア語・ヒンディー語・中国語・韓国語、どこの国なのかわからない言葉も。

言葉だけではありません。肌・髪の色のちがい、食べるもののちがい。慣習や宗教を土台にした考え方や思いつきのちがい。こうした幅広いちがいを力にして、国を豊かにしていこうというのがカナダです。

難民の受け入れに積極的なこともカナダの特徴です。難民とは、住んでいる国や場所で戦争や紛争が起こり、身の危険があったり、人権が守られないので、ほかの場所に避難している人たちのこと。まさに、この本で「ユダヤ避難民」とよんだ子どもたちや家族がそうでした。

第二次世界大戦のあと、カナダは多くの難民を受け入れてきました。あぶない状況の中にいる人たちを助けるという、人道的な考えからです。また、世界で起こっている問題にカナダが無関心ではなく、解決に協力しようとするからです。2018年、カナダにきた難民のうち約3万人が定住を認められ、これは世界で一番多い数でした。

定住を認められた難民は、住む場所や生活の世話を受けます。仕事に必要な教育や技術を学ぶため学校にいく人もいて、ときどきテレビや新聞で紹介されます。

シリアという国から難民としてきた一家のお父さんとお母さんは、学校で調理に関する勉強をして、店を開きました。店内でシリア風の料理やパンをつくってお客さんに出します。それを食べて、同じようにシリアからきた人たちは、なつかしい味を思い出す。

カナダの人たちは、初めてのシリア料理を楽しむ。
これはカナダにきた難民についてのほんの一面ですが、こういったニュースが増えればすてきですね。

1940年・41年、ヨーロッパにいると命の危険があったユダヤ人に、にげるために必要なビザを、オランダや日本の外交官(がいこうかん)が出した。ユダヤ人たちは日本にきて、ほっとした。暗やみに光がさしたようで、これもすてきな話。
でも、なぜユダヤ人たちは命の危険があったのか。そういうことも考えながら、もうだれも暗やみのような世界に戻(もど)らないよう、みんなでしっかり注意していくことが大切です。
私たちが少しでも安心して生きていくためのひとつの方法として、人にはちがいがあることを知っておけばよいと思います。ちがいは、私が気づかないことを教えてくれる。ひとりの力ではできないことを補(おぎな)って助けてくれることもある。そう思わされる場面が、「多民族・多文化」のカナダに住んでいる私にとって何度もありました。

この本もたくさんの人たちからの助けで完成しました。
「あの話をまた書いてもいいよ」と許可してくださったテッド、マルセル、ハリナ、アン、ノーミ、ナタン、ゾリアと、ご家族たち。全員、2020年に私が書いた『太平洋を渡(わた)った杉原ビザ』という本に登場した子どもや家族たちです。
貴重(きちょう)な写真をあつめることに協力してくださったかたがた。
生(い)き生きとした絵を描いてくださった臼井南風(うすいみなみ)さん。
話と絵と写真をあわせてよい本になるようにと編集してくださった岐阜新聞情報センター出版室のみなさま。
「応援(おうえん)してるよ」とはげましてくれた友だちと私の家族。
多くの助けと声援(せいえん)をありがとうございました。心からの感謝(かんしゃ)とともに、あのときの子どもたちの話をしめくくります。

2021年7月　高橋 文

写真クレジット

表紙　（上、左から）ナタン・ザルコウ、ノーミ・カプラン、ジュディス・レルメル・クラウレイ
（中）アン・ネイベルト
（下、左から）マルセル・ベイランド、テッド・カリスキ、ハリナ・カントー

1章　P.9……(上)テッド・カリスキ　(中)マルセル・ベイランド　(下)ハリナ・カントー
P.10……(上)アン・ネイベルト　(下)ノーミ・カプラン
P.11……(上)ナタン・ザルコウ　(下)Montreal Holocaust Museum, Courtesy of Judith Lermer Crawley

2章　P.12……(上) United States Holocaust Memorial Museum, courtesy of National Archives and Records Administration, College Park.
(下) United States Holocaust Memorial Museum.
P.14……(上) United States Holocaust Memorial Museum, courtesy of Jerzy Tomaszewski.
(下) United States Holocaust Memorial Museum.
P.16……ハリナ・カントー
P.18……United States Holocaust Memorial Museum, courtesy of Archiwum Panstwowe w Krakowie.
P.19……United States Holocaust Memorial Museum, courtesy of B. Ashley Grimes II.
P.23……Montreal Holocaust Museum, Courtesy of Judith Lermer Crawley
P.26……(2枚)ノーミ・カプラン

3章　P.28……(上)著者
(下) United States Holocaust Memorial Museum, courtesy of National Archives and Records Administration, College Park.
P.30……著者
P.31……(上)マルセル・ベイランド
(下) United States Holocaust Memorial Museum, courtesy of George Birman.
P.32……United States Holocaust Memorial Museum, courtesy of Dr. Jan Zwartendyk
P.33/34……NPO 杉原千畝命のビザ
P.35……マイケル・カム
P.36……著者
P.37……(2枚)ノーミ・カプラン
P.39……(3枚)ナタン・ザルコウ

4章　P.41/42/43/44……NPO 杉原千畝命のビザ
P.45……(上)ハリナ・カントー　(下)人道の港 敦賀ムゼウム所蔵
P.46/47……(4枚)マルセル・ベイランド
P.48……(2枚)マイケル・カプラン
P.51……極東連邦大学 地域国際研究員 日本学科 モルグン ゾーヤ PH. D.

5章　P.52/53/54……人道の港 敦賀ムゼウム『ふるさと敦賀の回想』より
P.55/56……神戸市文書館
P.57……カリスキ家
P.58/59……(4枚)マルセル・ベイランド
P.60……ジュディス・レルメル・クラウレイ
P.61……(上)アイリーン・クラー　(下)ミシェル・ロゼンブルム
P.62……テレサ・ロメル

6章　P.63……ノーミ・カプラン
P.64……(4枚)ナタン・ザルコウ
P.65……ハリナ・カントー
P.66……(2枚)アン・ネイベルト
P.67……(2枚)ジュディス・レルメル・クラウレイ
P.68……Seattle Post-Intelligencer Collection, Museum of History & Industry, Seattle; All Rights Reserved.
P.69……アンドルー・ヤクボビチ
P.70……(上)ジェーン・ヘイマン　(下)アイリーン・ヘンリー
P.71……(上) City of Vancouver Archives, AM1545-S3-: CVA 586-2242
(下) City of Vancouver Archives, AM1545-S3-: CVA 586-4590

7章　P.72……(上)著者　(下)マルセル・ベイランド
P.73……(3枚)著者
P.74……(上)ナタン・ザルコウ　(下)Photographer: Judith Lermer Crawley
P.75……(3枚)著者

うら表紙：著者

おもな参考文献

- バンクーバー新報 企画・編、高橋文 編著
『太平洋を渡った杉原ビザ　カウナスからバンクーバーまで』
岐阜新聞社

- ウィリアム・カプラン、シェリー・タナカ、千葉茂樹 訳
『国境を越えて　戦禍を生きのびたユダヤ人家族の物語』
BL出版

- Marcel Weyland, *The Boy on the Tricycle*, Brandl & Schlesinger

- United States Holocaust Memorial Museum, *Flight and Rescue*

- 外務省外交史料館所蔵 昭和戦前期外務省記録 I.4.6.0.1-2
「民族問題関係雑件 猶太人問題」
4・10・11 巻

- ゾラフ・バルハフティク、滝川義人 訳
『日本に来たユダヤ難民 ヒトラーの魔手を逃れて / 約束の地への長い旅』
原書房

- ゾーヤ・モルグン、藤本和貴夫 訳
『ウラジオストク　日本人居留民の歴史　1860 ～ 1937 年』
東京堂出版

- 在ウラジオストク日本国総領事館
ロシア国立沿海地方アルセーニエフ記念総合博物館
「浦潮旧日本人街散策マップ」
https://www.vladivostok.ru.emb-japan.go.jp/itprtop_ja/index.html

うら表紙

杉原千畝記念モニュメント
「月の光よ永遠に」
北川剛一 制作

高橋 文（たかはし あや）

大阪府出身。1978年、関西学院大学社会学部卒業。日本で印刷・出版会社で勤めたあと、2000年9月、カナダ永住権を取得し在住。編集・翻訳業に従事するとともにフリーランス・ジャーナリストとして、日本とカナダの新聞・雑誌に主に文化・歴史領域の記事を執筆。2020年、『太平洋を渡った杉原ビザ カウナスからバンクーバーまで』（岐阜新聞社）を編著。

命のビザで旅した子どもたち
暗やみから光さすほうへ

Children and the Visas for Life
Journeys from Darkness to Light

2021年8月5日　第1刷発行

著者／高橋文

絵／臼井南風

カバーデザイン・装丁／
株式会社リトルクリエイティブセンター

発行／株式会社岐阜新聞社

編集・制作／岐阜新聞情報センター出版室
〒500-8822 岐阜市今沢町12 岐阜新聞社別館4階
TEL 058-264-1620（出版室直通）

印刷／岐阜新聞高速印刷株式会社

価格はカバーに表示してあります。
落丁本・乱丁本はお取り替えします。

ISBN978-4-87797-301-8